Lunge, Georg

Zur Geschichte der Entstehung und Entwicklung der chemischen Industrien in der Schweiz.

Lunge, Georg

Zur Geschichte der Entstehung und Entwicklung der chemischen Industrien in der Schweiz.

Inktank publishing, 2018

www.inktank-publishing.com

ISBN/EAN: 9783747791165

Zur Geschichte der Entstehung und Entwicklung

der

chemischen Industrien

in der Schweiz.

———✽———

Zusammengestellt im Auftrage

der

Schweizerischen Gesellschaft für chemische Industrie,

auf Grund von Mitteilungen

seitens Mitgliedern der Gesellschaft,

von

Dr. Georg Lunge,

Professor am eidgen. Polytechnikum in Zürich.

Zürich.
Druck und Verlag: Art. Institut Orell Füssli.
1901.

4

Vorwort.

Der Anstoss zu der folgenden Zusammenstellung wurde gegeben durch eine Aufforderung, welche Prof. Dr. *N. Reichesberg* in Bern an den Unterzeichneten am 30. Juni 1900 erliess, für das von ersterem herauszugebende „Handwörterbuch der schweizerischen Volkswirtschaft, Socialpolitik und Verwaltung" einen Artikel mässigen Umfanges über die Geschichte und den gegenwärtigen Stand der chemischen Industrie in der Schweiz zu schreiben. Erst nach längerem Bedenken konnte sich der Unterzeichnete dazu entschliessen, diesen Auftrag zu übernehmen, und erst, nachdem die schweizerische Gesellschaft für chemische Industrie bei ihrer Jahresversammlung am 7. Oktober 1900, wo dieser Gegenstand zur Sprache gebracht wurde, beschlossen hatte, das Unternehmen durch Anwerbung von Berichterstattern über die verschiedenen Zweige der chemischen Industrie aus ihrem eigenen Kreise zu unterstützen. Ohne eine derartige sachkundige Mitwirkung hätte weder der Unterzeichnete, noch, wie man bestimmt sagen kann, irgend ein anderer der Aufgabe auch nur entfernt gerecht werden können.

Durch die Bemühungen des Vorstandes jener Gesellschaft, insbesondere des Präsidenten Herrn Dr. *A. Landolt* (Zofingen) und des Aktuars Herrn Dr. *Ed. Naef* (Schwanden)

96241

wurden in der That eine Anzahl von Herren bestimmt, Beiträge zu dem erwähnten Zwecke zuzusagen, wozu dann infolge des von dem Unterzeichneten eröffneten Briefwechsels noch einige andere kamen. Es liefen infolgedessen mehr oder weniger umfangreiche Mitteilungen ein von seiten der folgenden Herren bezw. Firmen:

Aluminium-Industrie-Aktiengesellschaft, Neuhausen (Aluminium und andere elektrochemische Industrien).

C. Dändliker, Rapperswil (Holzessig).

Dietrich & Co., Zürich (Türkischrotöl).

Friedr. Egli, Zürich (Leim).

A. Jenny-Trümpy, Ennenda (Baumwolldruckerei).

Dr. A. Landolt, Zofingen (Lacke und Farben).

Oscar Neher, Mels (Stärke etc.).

Dr. C. Nourrisson, Vernier bei Genf (Elektrochemische Industrie).

F. Reverdin, Genf (Teerfarben und verwandte Industrien).

A. Schnorf-Flury, Uetikon (chemische Grossindustrie und Düngerfabrikation).

B. Siegfried, Zofingen (pharmazeutische und photographische Präparate).

Friedrich Steinfels A.-G., Zürich (Seifenfabrikation).

Im März d. J. war alles Material, so weit es überhaupt zu beschaffen war, eingelaufen, so dass der Unterzeichnete daran gehen konnte, daraus den für das „Handwörterbuch" bestimmten Artikel zusammenzustellen, dessen Umfang 6—7 Druckseiten nicht überschreiten durfte. Da aber die Mehrzahl der Beiträge einen weit grösseren als den entsprechenden Umfang besassen, so konnte für das „Handwörterbuch" natürlich nur ein kurzer Auszug gegeben werden, wobei sehr vieles entschieden interessante Material ausgelassen werden musste.

Dem Unterzeichneten schien es bedauerlich, dass einerseits so viele Herren einer dem Ergebnis nicht entsprechenden Mühe ausgesetzt worden waren, und dass andererseits diese vielleicht nicht mehr wiederkehrende Gelegenheit verloren gehen sollte, die Geschichte einer so wichtigen schweizerischen Industrie wenigstens in ihren Hauptzügen festzuhalten — freilich keinesweges lückenlos, da es leider nicht gelungen war, für alle Zweige derselben Berichterstatter zu gewinnen, und selbstverständlich auch das wirklich gelieferte Material sehr ungleich an Umfang und Wert war. Er legte daher dem Vorstande der schweizerischen Gesellschaft für chemische Industrie durch Herrn Prof. *Gnehm* die Frage vor, ob er einwilligen wolle, eine Zusammenstellung aller eingelaufenen Beiträge in extenso, in erster Linie für die Mitglieder der Gesellschaft, drucken zu lassen. Dies wurde gern bewilligt, und das Ergebnis liegt hiermit vor.

Wo immer möglich, kommen die verschiedenen Mitteilungen in ihrem Wortlaut zum Abdruck; doch waren natürlich auch in diesem Fall hier und da kleine Einleitungen, Abänderungen und Ergänzungen erforderlich. Anderes musste etwas mehr selbständig bearbeitet werden. Dass das Ganze einen ziemlich ungleichmässigen Eindruck machen wird, liegt an der oben erwähnten Art, wie der Stoff gesammelt werden musste, und wird hoffentlich von dem Leser als unvermeidlich entschuldigt werden.

Zürich, Mai 1901.

Der Herausgeber.

1. Chemische Grossindustrie.

Die ersten Anfänge dieser Industrie, deren Entwickelung in der Schweiz durch das Fehlen der meisten Rohmaterialien und der Kohlen im Lande naturgemäss grosse Schwierigkeiten entgegenstehen, reichen merkwürdig weit zurück. Bekanntlich ist die erste Bleikammer für Schwefelsäurefabrikation 1746 in England errichtet worden und 1766 folgte dann Frankreich, während die erste deutsche Schwefelsäurefabrik erst nach 1800 errichtet worden zu sein scheint. Aber nach der als Manuskript für die Familie gedruckten Lebensgeschichte von *Jakob Ziegler* in Winterthur (1775—1863) errichtete schon im Jahre 1778 dessen Vater Dr. *Heinrich Ziegler* zusammen mit *J. S. Clais* in Winterthur eine Fabrik von Schwefelsäure, allerdings in recht kleinem Massstabe, denn für das Jahr 1781 wird die Erzeugung auf 7½ Centner pro Woche angegeben. Diese Fabrik wurde von seinem Sohne *Jakob* fortgeführt und dehnte sich im Anfange des 19. Jahrhunderts auf die Erzeugung von Salzsäure, Sulfat, Soda, Salpetersäure, Chlorkalk, Kupfervitriol und Zinnsalz aus. 1832 wurde die für damals ansehnliche Menge von 250 Centner Salzsäure im Jahre fabriziert. 1830 wurde zunächst für den eigenen Bedarf an Säureflaschen die Fabrikation von Glas eingeführt; die Abhitze des Glasofens wurde zur Fabrikation von Salzsäure und Soda, sowie zur Koncen-

9

tration von Schwefelsäure benutzt. Im Jahre 1854 ging diese Fabrik ein, die lange Zeit in der Ostschweiz die dominierende ihrer Art gewesen war.

Eine dauernde Stelle fand die chemische Grossindustrie zu Uetikon am Zürichsee, wo anno 1810 *Rusterholz*, ein als Fabrikant in Lyon vermögend gewordener Bürger jener Gemeinde, eine Fabrik von Schwefelsäure, Sulfat, Salzsäure, Soda, Eisenvitriol etc. anlegte, woneben eine Garnbleiche betrieben wurde. Nach dem Gebäude zu urteilen, das vor etwa 10 Jahren niedergerissen wurde, mag das Bleikammersystem einen Inhalt von etwa 400 m³ gehabt haben. Die Fabrik scheint nie besonders prosperiert zu haben, wurde aber erst Ende der 50er Jahre ganz eingestellt.

Bald nachher entstand in der Gemeinde Uetikon eine zweite, bis heute bestehende Fabrik. Im Jahre 1818 begannen die Schiffleute *Heinrich und Caspar Schnorf* mit zwei Angestellten von *Rusterholz* ganz in der Nähe von dessen Fabrik die Fabrikation von Schwefelsäure, Eisenvitriol und „Cypervitriol" (Kupfervitriol). Dazu kam 1825 Salzsäure, Salpetersäure und Glaubersalz, 1826 Rohsoda für die Seifensiederei. Seit 1837 wurden Sodasalz und Chlorkalk fabriziert. In denselben Jahren fing man an, die in der Färberei und Druckerei viel gebrauchten Chemikalien: Eisenbeize, sogen. salpetersaures Eisen, Zinnsalz, Chlorzinn, Zinksalz, salpetersaures Blei u. s. w. zu produzieren. Die Koncentration der Schwefelsäure fand in Glasretorten statt, ebenso die Fabrikation von Sulfat und Salzsäure und diejenige von Salpetersäure. Bei der Zersetzung von Kochsalz und Salpeter mit Schwefelsäure musste jedesmal die Glasretorte zerschlagen werden, um den festen Rückstand herauszubekommen, und der dadurch verursachte grosse Verbrauch von Glas zwang geradezu die betreffenden Fabriken zur Aufnahme der Glasfabrikation, die auch in Uetikon 1840 bis 1856 betrieben wurde.

Bis zum Bau der Eisenbahn Basel-Zürich, d. h. dem Anfang der 50er Jahre, mussten sämtliche Rohmaterialien: Schwefel, Salpeter, Kochsalz, Blei, Zink, Zinn etc. von Basel oder Hüningen per Achse bezogen werden, was diese Materialien bedeutend verteuerte und die Entwickelung der Industrie im allgemeinen erschwerte. Allerdings kam dieser Umstand der chemischen Industrie dadurch wieder zu gut, dass die Spedition der flüssigen Säuren auf weite Strecken und bei den damaligen Strassen sehr kostspielig war und es der ausländischen Konkurrenz nicht leicht fiel, mit diesen Produkten tief in die Schweiz hinein zu kommen, und da der Konsum namentlich an Salzsäure schon früher recht gross war, so hatte jedes Verbrauchscentrum seine Fabrik. In Aarau fabrizierte *Frey*: Schwefelsäure, Salzsäure, Sulfate, Glaubersalz etc. von Beginn des Jahrhunderts bis 1870.

Auch in Schweizerhall bei Basel existierte eine Schwefelsäurefabrik bis gegen 1860; in Horgen am Zürichsee diejenige von Landis bis ungefähr 1870.

Als infolge des neuen Verkehrsweges die Preise der Säuren stark zurückgingen, hörten die Lebensbedingungen für die meisten der damals existierenden Fabriken auf; einzig die jüngere Fabrik in Uetikon fing unter der Leitung des tüchtigen, energischen *Rudolf Schnorf* erfreulich zu prosperieren an. Von dieser Zeit an bis jetzt wurde der schweizerische Konsum an Mineralsäuren so ziemlich gleichmäsisg je von den nächstgelegenen Fabriken geliefert, und zwar für die welschen Kantone von Lyon, Basel und Jura von Thann im Elsass, später auch von Mannheim und für die übrige Schweiz von Uetikon, soweit nicht die rheinischen Fabriken mit ihrer Überproduktion hereinkamen. Es fehlte auch in den letzten Jahrzehnten nicht an Versuchen, die Schwefelsäurefabrikation anderwärts wieder aufzunehmen. So entstand eine Fabrik in Wädenswil, in den Siebzigerjahren eine solche in Wyhlen bei Basel, die, obgleich auf deutschem Gebiet, doch für den schweizerischen Absatz berechnet war und in den Achtzigerjahren eine solche in

Altstetten bei Zürich. Alle drei Fabriken existierten nur wenige Jahre, denn bei den für hiesige Verhältnisse sehr tiefen Preisen der Produkte und bei dem geringen Absatz, der eine Massen-Produktion nicht zuliess, war kein Auskommen zu finden.

Die Fabrik in Uetikon ist zwar sehr ungünstig gelegen, da sie fast alle Rohmaterialien vom Ausland via Genf und Basel beziehen muss und ein grosser Teil der Produkte den gleichen Weg zurück der Konkurrenz entgegengeht; ihr ist jedoch zu gut gekommen der bedeutende Konsum ihrer Fabrikate durch die zürcherische Seidenfärberei, sowie die Baumwollfärberei, Bleicherei und Druckerei in den Kantonen Zürich und St. Gallen. Wesentlich unterstützt wurde die Fabrik in kritischen Zeiten durch den grossen Verbrauch der Glarner-Industrie, so lange die dortige Druckerei und Türkenkappen-färberei florierte. Nicht wenig trug der Aufschwung der Düngerfabrikation dazu bei, die Schwefelsäurefabrik kon-kurrenzfähig zu erhalten und ihr eine immerwährende Ver-mehrung der Produktion als Äquivalent gegenüber dem Preis-rückgang zu gestatten. In allen Zeiten bildete das Brenn-material einen wichtigen Faktor für die chemische Grossindu-strie; der gänzliche Mangel an Steinkohlen in der Schweiz ist keineswegs günstig für sie. Anfänglich war man grösstenteils auf Holz angewiesen. Torf und Schieferkohlen wurden mit Vorliebe angewendet in den Galerenöfen, wo 50 — 60 Glas-retorten einem gleichmässigen schwachen Feuer ausgesetzt sein mussten. Für grössere Öfen und Kesselfeuerung schätzte man die Braunkohle von Käpfnach, obschon sie sehr gering war, so lange man nicht Besseres kannte. Über die einzelnen Produkte sei hier folgendes erwähnt:

Schwefelsäure. Die ersten Bleikammern waren sehr primitiv, und sie arbeiteten mit Unterbrechungen, indem der Schwefel in der vorher gelüfteten Kammer selbst verbrannt wurde. Die Bleiplatten wurden mit dem Lötkolben und mit Zinn zusammengelötet; erst seit Anfang der Fünfzigerjahre kennt man hier das Löten mit der Wasserstoffflamme. Die Konzentration der Schwefelsäure wurde bis in die Fünfziger- jahre in Glasretorten vollzogen. *Frey* in Aarau hatte den ersten, ganz kleinen Platinkessel; nach Uetikon kam 1859 ein grösserer, in Paris verfertigter Kessel. Der erste Gay- Lussac-Turm wurde 1863 in Uetikon erbaut. Seit 1870 wird der Schwefel durch Kiese (Pyrite von Lyon) ersetzt, die in Feinkiesöfen verbrannt werden. Die heute so allge- mein angewendeten Malétra-Öfen sind hier zuerst ausserhalb ihres Entstehungsortes (Rouen) angewendet worden. Glover- türme wurden 1873 eingeführt. Seit 1885 wird an Gross- konsumenten die Schwefelsäure in eisernen Zisternen, 10,000 *kg* haltend, statt in Glasballons spediert, 1850 waren in Uetikon cirka 1000 m^3 Bleikammerraum vorhanden; die übrigen Fabriken zusammen hatten vielleicht eben soviel. Der da- malige jährliche Verbrauch der Schweiz lässt sich auch nicht annähernd schätzen. Heute hat Uetikon, die einzige Fabrik der Schweiz, ca. 20,000 m^3 Kammerraum. Der Verbrauch der Schweiz an Schwefelsäure von 60° Bé. beziffert sich auf ca. 13,000 Tonnen, abgesehen von dem eigenen grossen Bedarfe der Fabrik.

Salpetersäure wurde in Uetikon seit 1825 fabriziert und zwar bis 1850 in Glasretorten, dann in kleinen Guss- cylindern und seit ca. 20 Jahren in grossen gusseisernen Kesseln. Auch die Kondensationsapparate haben sich ver- vollkommnet. Der Verbrauch an Salpetersäure muss früher sehr klein gewesen sein. In Winterthur wurde solche ebenfalls fabriziert; dass dies noch anderwärts für den Verkauf ge- schehen sei, ist unwahrscheinlich, dagegen haben die Dyna- mitfabriken Isleten und Brig ihren Bedarf an Salpetersäure selbst hergestellt. Der schweizerische Verbrauch an Salpeter- säure, abgesehen von der in den Dynamitfabriken produzierte Menge, beträgt etwa 500 Tonnen im Jahre.

Salzsäure, Sulfat, Soda und Chlorkalk. Die Salzsäurefabrikation ist wohl so alt wie die Schwefelsäurefabrikation; ja es scheint sogar, als habe man Bleikammern gebaut, um Salzsäure fabrizieren zu können, denn der Verbrauch dieser Säure war in den ersten Dezennien dieses Jahrhunderts eher grösser als derjenige an Schwefelsäure. Aarau, Winterthur und die beiden Fabriken in Uetikon fabrizierten bedeutende Quantitäten. Das Kochsalz wurde in Glasretorten zersetzt, die Säure in Glasvorlagen kondensiert. Die Salzkuchen (Bisulfat) wurden auf Glaubersalz verarbeitet. Erst Mitte der Fünfzigerjahre wurden in der Schweiz die ersten Sulfatöfen erstellt und die Gase in mit einander verbundenen Steinguttöpfen kondensiert. Die Zersetzung fand anfänglich in Bleipfannen, später in gusseisernen Schalen statt. Der Salzsäuretransport in Topfwagen hat sich erst im letzten Dezennium des Jahrhunderts eingebürgert. Der Salzsäureverbrauch in der Schweiz beträgt im Jahre etwa 10,000 Tonnen, nicht inbegriffen den eigenen Verbrauch der Fabrik.

Zur Verwertung des als Nebenprodukt gewonnenen Sulfats wurde in Uetikon die Fabrikation von Rohsoda begonnen, im Jahr 1827. Erst von 1840 an fand **Sulfat** in kleinen Mengen Verwendung in der Glasindustrie, die jetzt beinahe die ganze Produktion absorbiert; was nicht in der Schweiz gebraucht wird, geht ins Ausland.

Die Rohsoda wurde anfangs als solche an die Seifensieder verkauft und von diesen direkt verwendet, wie dies die Marseillaner Seifenfabriken bis in jüngste Zeit gethan haben (vielleicht jetzt noch thun?).

Sodasalz und **krystallisierte Soda** wird in Uetikon seit 1845 fabriziert. Die Produktion vermehrte sich von Jahr zu Jahr, und eine Zeit lang vermochte der Absatz in Salzsäure nicht mehr Schritt zu halten mit dem Verbrauch an Sulfat für die Sodafabrikation, so dass 1850 die Chlorkalkfabrikation eingeführt werden musste, um den Überschuss an Salzsäure zu verwerten.

Als dann in den siebziger und achtziger Jahren der Ammoniaksodaprozess sich immer mehr vervollkommnete und ausdehnte, und infolgedessen die Preise des Produktes immer tiefer sanken, veränderte sich die Situation für die *Leblanc*-Sodafabrikation; Salzsäure wurde wieder Hauptprodukt und die Sodafabrikation hatte nur noch das unverkäufliche Sulfat zu verarbeiten. 1883 wurde die Chlorkalkfabrikation eingestellt und als es schliesslich möglich wurde, die ganze Sulfatproduktion an Mann zu bringen, konnte 1898 die ganz unrentabel gewordene Sodafabrikation nach dem *Leblanc*'schen Verfahren aufhören. Die Herstellung von Soda nach dem *Solvay*-Verfahren ist für Uetikon ganz ausgeschlossen, da kein Salz in der Nähe ist und die Kohlen zu teuer sind. Sie kann überhaupt nur bei Massenproduktion rentieren; der Verbrauch der Schweiz ist aber einstweilen noch nicht so gross, um neben der unmittelbar über der Grenze bestehenden Fabrik in Wyhlen ein zweites grosses Etablissement beschäftigen zu können.

Die Herstellung von fester kaustischer Soda aus Sodasalz nach älterem Verfahren konnte für die Schweiz nie in Frage kommen, da die Kohle zu teuer ist; der schweizerischen Elektrochemie wird es vorbehalten sein, der Fabrikation dieses Produktes eine grossartige Ausdehnung zu geben.

Die Zunahme des schweizerischen Verbrauches an Soda ist ungefähr aus folgenden Zahlen ersichtlich:

	Sodasalz	Soda cryst. auf Sodasalz berechnet	caust. Soda
1850 .	T	?	?
1899 .	T	9200 T	2800 T

Chlorkalk wurde ausser in Uetikon auch in Winterthur fabriziert; in Uetikon war von 1879 bis 1882 das Regenerationsverfahren von *Weldon* im Betrieb. Seit 1883 ist die Schweiz ausschliesslich aufs Ausland angewiesen; zu allen Zeiten waren die beliebtesten Marken: *Tennant, All-husen* und *Dieuze*. Seit einigen Jahren bürgert sich der elektrolytische Chlorkalk von Griesheim und Badisch Rhein-felden immer mehr ein und wird den aus Braunstein und Salzsäure hergestellten Chlorkalk bald ganz verdrängt haben.

Eisenvitriol war von je her ein grosser Konsumartikel; alle chemischen Fabriken befassten sich mit der Herstellung desselben. Infolge von Veränderungen an den in der Färberei und Druckerei angewendeten Farbstoffen hat der Bedarf be-deutend nachgelassen, und ist noch mehr zurückgegangen, als in den neunziger Jahren die Eisenbeize in der Seiden-färberei zum grossen Teil durch Chlorzinn ersetzt wurde.

Von 1873—1895 wurden in Uetikon die **Weissblech-abfälle** der schweizerischen Milchsiedereien verarbeitet, indem durch Einwirkung von Eisen und Chlor das Zinn in Form von Chlorzinn ($SnCl_4$) gewonnen wurde. und das Eisen in der Eisenvitriolfabrikation Verwendung fand. Als Zinn und Eisen ihren tiefsten Preisstand hatten, lohnte sich diese Fabri-kation nicht mehr.

Eisenbeize (Basisch-schwefelsaures Eisenoxyd) hatte zum Schwarzfärben und Chargieren der Seide starke Ver-wendung und wurde in Uetikon, Horgen, Wädenswil, Gubel bei Rapperswil und Basel hergestellt. In den letzten Jahren hat, wie unter Eisenvitriol angeführt, der Verbrauch bedeu-tend nachgelassen.

Auch **Salzsaures Eisen** *(Eisenchlorür)* wurde früher ziemlich viel in der Seidenfärberei gebraucht, seit langem aber gar nicht mehr. In **Holzessigsaurem Eisen** dagegen hat die Seiden- und Baumwollfärberei immer ziemlich grosse Quantitäten gebraucht; dieses Produkt wurde und wird noch in den Essigsäurefabriken hergestellt, wovon ein Teil (Utt-weil, Wald, Feuerthalen) eingegangen sind, während andere, wie *Hess* im Seegubel bei Rapperswil, *Marty* in Glarus und

Oertli in Sargans noch existieren. (Über **Essigsäure** s. unten.)

Von den übrigen Metallsalzen spielen die **Zinnprodukte** eine grosse Rolle in der Seidenfärberei. Früher wurde sehr viel Zinnsalz verwendet, während jetzt gar keines mehr gebraucht wird.

Chlorzinn, flüssig (Tetrachlorid), wurde zu allen Zeiten verwendet, früher in ziemlichen Quantitäten in der Glarner Druckerei, später immer mehr in der Seidenfärberei, die jetzt sehr grosse Quantitäten konsumiert. Gegenwärtig wird das Produkt fabriziert in Thalwil, Zürich, Schlieren, Altstetten, Seegubel bei Rapperswil, Glarus, Sargans, Grüze bei Winterthur und Uetikon. In Grüze wird das Zinn aus den unbrauchbar gewordenen Laugen der Zinnbäder wieder gewonnen.

Schwefelsaure Thonerde ist in Uetikon in den achtzigern und neunziger Jahren fabriziert worden; jetzt wird der Bedarf der schweizerischen Papierfabrikation und der Baumwollfärberei in diesem Artikel ausschliesslich von Deutschland geliefert.

Kupfervitriol. Die ersten chemischen Fabriken befassten sich alle mit der Herstellung von Kupfervitriol (Cypervitriol); immerhin blieb der Verbrauch von Kupfervitriol unbedeutend, bis ca. 1885 der falsche Mehltau in den Reben auftrat, gegen welche Krankheit Azurin, Bordeauxbrühe und Sodakupfervitriol sich sehr bewährten, und infolgedessen der Bedarf an Kupfervitriol sich von Jahr zu Jahr steigerte, und recht grosse Dimensionen annahm. In der Schweiz wird das Produkt nicht mehr fabriziert.

Komprimierte flüssige Kohlensäure wird seit längerer Zeit von *E. Bürgin* in Basel, seit einigen Jahren auch von Fabriken in Zürich und Bern, andere komprimierte Gase in Luzern fabriziert. Es werden im Jahre etwa 300 *t* flüssige Kohlensäure erzeugt.

Wasserstoffsuperoxyd wird in Othmarsingen (Kanton Aargau) in ziemlichen Quantitäten fabriziert.

Ausfuhr: Es ist wohl einleuchtend, dass eine Ausfuhr der Produkte der chemischen Grossindustrie nicht wohl möglich war; einzig das Vorarlberg wurde in den achtziger Jahren mit Mineralsäuren aus der Schweiz versorgt, bis die erhöhten Einfuhrzölle in Österreich diesem Verkehr ein Ende machten.

2. Düngerfabrikation.

Bis gegen Ende der Fünfzigerjahre wusste man in der Schweiz nichts von künstlichen Düngemitteln; neben Stalldünger wurde rohes und entleimtes Knochenmehl, Holzasche und Russ verwendet; dann wurden schüchterne Versuche gemacht mit natürlichem Guano und später mit aufgeschlossenem, der von Mannheim importiert wurde; von dort kamen dann auch die ersten Knochen- und Phosphoritsuperphosphate, anfänglich probeweise, dann in immer grösseren Quantitäten.

Die erste schweizerische Düngerfabrik wurde von Herr *Fr. von Vloten* in Marthalen im Jahre 1862 erbaut, dann folgte Freiburg 1864, und in den Siebzigerjahren entstanden Fabriken in Schweizerhall, Basel, Wigoltingen, jetzt Märstetten, in Grüze bei Winterthur, Renan (Waadt), Lunkhofen (Aargau), Altstetten bei Zürich, Oerlikon, Effretikon, Oberhausen (Thurgau), Schlieren und Langnau (Kanton Bern). Alle diese Fabriken beschränkten sich auf die Herstellung von Knochendüngern, die Phosphoritsuperphosphate kamen fast ausschliesslich vom Ausland, weitaus der grösste Teil von Biebrich, welche Marke sehr beliebt und verbreitet war. Zimmer in Mannheim, Michel in Ludwigshafen und Dietsch in Griesheim bürgerten sich erst nach und nach ein.

Als der Import an Superphosphaten immer mehr zunahm, konnte die Schnorfsche Fabrik in Uetikon die Rücksichten gegen ihre guten Säurekunden nicht weiter treiben; sie richtete sich 1882 für die Massenproduktion dieses Düngers der Zukunft ein und hatte bald einen bedeutenden Absatz ihrer Fabrikate.

So einträglich die Düngerindustrie in der ersten Zeit ihrer Existenz war, so misslich gestaltete sich ihre Lage in der Folge, und namentlich von da an, als die landwirtschaftlichen Genossenschafts-Verbände den Verkauf dieses Produktes an Hand nahmen und durch öffentliche Submissionen auf grosse Quantitäten die Preise vom Ausland her so heruntergedrückt wurden, dass die ungünstiger arbeitende einheimische Industrie kaum mehr bestehen konnte. Die 15 Fabriken sind denn auch bis Mitte der Neunzigerjahre auf 7 zusammengeschmolzen, und auch diese sind in keiner beneidenswerten Lage.

Vor ca. zehn Jahren begann die Verwendung von Thomasschlackenmehl mit 14—18% wirksamer Phosphorsäure zu Düngzwecken, und es hat sich der Verbrauch dieses Düngemittels in der kurzen Zeit derart gesteigert, dass gegenwärtig über 20,000 Tonnen per Jahr in der Schweiz gebraucht werden. Die Waare kommt aus den Saar- und Ruhrgebieten, wo Flusseisen nach dem Thomasverfahren hergestellt wird.

Angesichts der grossen Bedeutung, welche die Kunstdünger nach und nach für die Landwirtschaft erlangten, sind Massnahmen getroffen worden, die den Konsumenten vor unrichtiger Deklaration der Waare und vor Übervorteilung schützen; wohl 4/5 des ganzen Konsums werden nach dem Gehalt an Phosphorsäure, Stickstoff und Kali gekauft, und es wird nur das bezahlt, was die staatlichen Kontrollstationen finden. Die gegenwärtige Produktion an künstlichen, mit Schwefelsäure aufgeschlossenen Düngern in der Schweiz wird

2

gegen 30,000 Tonnen betragen, die Einfuhr ca. 25,000 Tonnen, so dass der Gesamtkonsum der Schweiz sich auf ca. 55,000 Tonnen beläuft.

3. Holzdestillation.

Schon im ersten Abschnitte sind Produkte dieser Industrie erwähnt worden. Die erste Holzessigfabrik scheint in Wald (Kanton Zürich) angelegt worden zu sein; darauf folgte 1848 Seegubel bei Rapperswil, sodann Fabriken im Thurgau und zu Feuerthalen und Stein, Kanton Schaffhausen (seither eingegangen), Glarus und Sargans. Auch die eidgenössische Pulververwaltung destillierte Holz zur Fabrikation von Pulverkohle mittelst überhitzten Wasserdampfes, aber ohne die (zu schwierige) Verwendung der Destillate. Man verwendet fast ausschliesslich Buchenholz, daneben wenig Birken- und noch weniger Ahornholz. Das Holz stammt ausschliesslich aus dem St. Galler Oberland, und wird als Scheitholz verwendet. Versuche mit Astholz, Sägemehl, extrahierten Farbhölzern u. dgl. sind wieder eingestellt worden.

Über die Verarbeitung der beiden Destillationsprodukte, Holzessig und Teer, giebt folgender Bericht über die Entwicklung der Fabrik Seegubel guten Aufschluss.

Die Verarbeitung des Holzessigs in den Anfängen dieser Industrie bestand in der Darstellung von Essigsäure nach dem bekannten Verfahren von *Völkel*: Sättigen des Holzessigs mit Ätzkalk, Eindampfen der Lösung und Trocknen des essigsauren Kalks bei 200 bis 230 ° C., Zersetzung desselben in kupfernen Kesseln mit Salzsäure, Destillation und Rektifikation der rohen Essigsäure mit einigen Promille doppeltchromsauren Kali. Es resultierte hierbei bei Anwendung von Salzsäure von 22 ° Bé. eine Säure von 45 % und reinem Geruch, die beinahe wasserhell war. In den Fünfzigerjahren

— 19 —

soll die Essigsäure von 30 % Gehalt Fr. 50. — per 100 ℔ gekostet haben. Später geschah in der Verarbeitung des Holzessigs insofern eine Änderung, als die Fabrikation von Essigsäure infolge des Preissturzes derselben verdrängt und der Holzessig auf holzsaures Eisen verarbeitet wurde. Am grösten war der Konsum an holzsaurem Eisen in den Jahren 1870 bis 1880. Seitdem ist der Bedarf an diesem Artikel beständig zurückgegangen und beträgt nicht einmal mehr ein Zehntel der genannten Periode. Reine Essigsäure wird in der Schweiz nicht mehr dargestellt. Der Preis der Essigsäure ist auf beinahe ein Fünftel und der des Holz-Eisens auf die Hälfte des früheren gesunken.

Ein wertvolles Produkt, das im Holzessig enthalten ist, ist der Holzgeist, ein Gemisch von Methylalkohol und Aceton. Dieser Holzgeist wird vom Holzessig abdestilliert, durch Soda oder Kalk geleitet und durch einmalige Rektifikation auf 92 ⁰ Tr. gebracht und so gehandelt.

Das Buchenholz liefert einen Teer, der das eigentliche Kreosot enthält. Es ist aber nur dann ein lohnender Betrieb zur Gewinnung des Kreosots möglich, wenn erhebliche Mengen Teer zur Verfügung stehen, was in keinem Betrieb in der Schweiz der Fall ist. Früher war die Darstellung von Pech durch Destillation des Teeres lohnend; gegenwärtig wird das billigere Steinkohlen-Pech vorgezogen.

Essigsaures Natron wurde als Hauptfabrikat nie dargestellt; in Seegubel wird es als Nebenprodukt erhalten, indem die Dämpfe von Holzgeist, die vom Holzessig abdestilliert werden, in Sodalösung geleitet werden, um mitgerissene Essigsäure zurückzuhalten. Die Holzkohlen, früher allgemein verwendet zu Lötzwecken und zum Bügeln, werden heute durch Gas- und Benzin-Lötkolben aus den Werkstätten, und durch die Glätteöfen aus den Glättezimmern verdrängt. Die Nachfrage ist hier um 80% geringer wie früher.

Die Holzpreise schwanken zwischen 30 bis 45 Fr. per Klafter à 3 Ster am Produktionsort.

21

Die ersten Apparate zur tockenen Destillation des Holzes waren stehende Retorten aus Schmiedeeisen, die heiss aus dem Ofen gehoben wurden; während die eine abkühlte, wurde eine andere, die in der Zwischenzeit geleert und wieder beschickt wurde, abdestilliert. Später wurden Öfen gebaut mit liegenden Retorten aus Gusseisen für eine Scheiterlänge, die am Tag ausgebrannt und über Nacht zur Abkühlung stehen gelassen wurden. In den Siebzigerjahren ging man über zu Retorten für zwei Scheiterlängen, wobei je zwei Retorten durch ein Feuer geheizt wurden. Vor einigen Jahren wurde die ganze Holzessigfabrik nach modernstem System umgebaut. In einem Ofen sind zwei Retorten aus Kesselblech für drei Scheiterlängen gelagert, von je 1 Meter Durchmesser, so dass per 6 Tage 27 Ster Holz verkohlt werden können. Bei diesem System ist die Einrichtung getroffen, dass das gegen Ende der Operation auftretende Gas unter den Retorten verbrannt werden kann. Diese Einrichtung war früher schon einmal getroffen, aber wieder fallengelassen worden; die Gasverbrennung erfordert sehr gut schliessende Apparate und grosse Sorgfalt, da Explosionsgefahr nicht ausgeschlossen ist.

Die Leistungsfähigkeit der Fabrik ist so eingerichtet, dass per Jahr ca. 450 Klafter Holz verkohlt werden können; in den besten Jahren wurden aber beinahe 1000 Klafter verbraucht, gegenwärtig kaum 100 Klafter; jenes geschah in den Jahren 1870 bis 1880.

4. Sprengstoff- und Zündholz-Industrie.

Abgesehen von der eidgenössischen Munitionsfabrik bestehen in der Schweiz zwei Dynamitfabriken, von denen diejenige zu Isleten (Kt. Uri) 1873 gegründet, nach Vollendung der Gotthardbahn eingestellt wurde und seit einigen

Jahren wieder eröffnet worden ist. Die andere Fabrik, zu Gamsen bei Brig, wurde 1894 gebaut. Beide zusammen beschäftigen etwa 100 Arbeiter. Über den Umfang der Produktion waren Angaben nicht zu erlangen; dieselbe wird ausschliesslich im Inlande verbraucht, wozu noch eine Einfuhr von etwa 100 T. Sprengstoffen aus dem Auslande kommt. Die Fabrikation von Zündhölzchen, die man in dieser Form kaum eine wirkliche chemische Industrie nennen kann, um so mehr, als sie grossenteils als Hausindustrie betrieben wurde, besteht seit längerer Zeit, hauptsächlich im Kanton Bern, ausserdem in den Kantonen Zürich, Waadtland und Neuenburg. Bekanntlich werden durch die neue Gesetzgebung in dieser Fabrikation einschneidende Änderungen hervorgerufen, deren Folgen, sowohl in Bezug auf die Fabrikationsmethoden, als auch auf die Produktionsmengen, sich heute noch nicht übersehen lassen.

---

5. Elektrochemische Industrien.

Es versteht sich von selbst, dass in der Schweiz eine elektrochemische Industrie nur durch Benutzung von Wasserkräften möglich ist. Aber da gerade unser Land, das keine Steinkohlen birgt, infolge seiner topographischen Gestaltung einen grossen Reichtum an Wasserkräften besitzt, so scheint es geradezu vorbestimmt für die Entwicklung der elektrochemischen Industrien, sowohl derjenigen, welche eigentlich elektrolytischer Art sind, wie derjenigen, bei denen eine durch kein anderes Mittel erreichbare hohe Temperatur erforderlich ist. Auf der anderen Seite werden freilich solche Industrien bei uns kaum zu grosser Blüte gelangen können, bei denen neben der Elektrizität doch noch grössere Mengen

von Brennstoff erforderlich sind, oder bei denen unser Land
für den Bezug der Rohstoffe oder den Absatz der Erzeugnisse zu ungünstig gelegen ist. Auch wird trotz der ausserordentlichen Fortschritte in der Transmission von elektrischer
Kraft durch Starkstromleitungen die Verwertung sehr abge-
legener Wasserkräfte auf absehbare Zeit nur ausnahmsweise
möglich sein. Aus diesen Gründen sind denn doch nicht
alle (oft sehr hochgespannten) Erwartungen in Bezug auf
das Aufblühen elektrochemischer Industrien befriedigt worden.

Teils infolge des Vorhandenseins billiger Wasserkräfte,
noch mehr aber infolge der in der Schweiz hervorragend
entwickelten maschinellen Behandlung solcher Kräfte und
der dadurch zu betreibenden Erzeugung von elektrischem
Strom, ist wohl die älteste wirklich erfolgreiche elektrochemische
Industrie, diejenige des **Aluminiums,** soweit es sich um eine
Darstellung dieses Metalles in reinem Zustande handelt, nicht
nur in der Schweiz zuerst in wirklich fabrikatorischem Massstabe entstanden, sondern auch eine ganze Reihe von Jahren
hindurch unbedingt an der Spitze geblieben. Dies erhellt
aus folgenden Mitteilungen über die Geschichte der Aluminium-
Industrie-Aktien-Gesellschaft.

„Am 16. Dezember 1886 reichten die Herren J. G.
Nehers Söhne, die Besitzer des alten Eisenwerkes Lauffen
am Rheinfall, veranlasst durch die immer schwieriger
werdende Konkurrenz auf dem Gebiete der Eisen-Industrie,
beim Regierungsrat des Kantons Schaffhausen ein Konzes-
sions-Gesuch ein um Entnahme von 75 m³ Wasser per
Sekunde aus dem Rheinfall (=15,000 HP.), um nach dem
Verfahren Kleiner·Fiertz aus Kryolith und Bauxit mit Hülfe
des elektrischen Lichtbogens Aluminium herzustellen (1000 *kg*
in 24 St.) Trotzdem dieses Gesuch wegen der befürchteten
Beeinträchtigung des Rheinfalls im Januar 1887 abgewiesen
worden war, wurde das Projekt doch nicht fallen gelassen,
und es erfolgte im August 1888 die Gründung der Schweize-

rischen Metallurgischen Gesellschaft, welche zunächst mit einer Versuchsanlage von 300 HP. Aluminium-Legierungen nach dem Verfahren Héroult herstellte. Diese Anlage übernahm die am 12. November 1888 mit einem Kapital von 10 Millionen Franken in Zürich gegründete Aluminium-Industrie-Aktien-Gesellschaft, welche sodann am 12. Februar 1889 die Konzession zur Entnahme von 20 m^3 Wasser per Sekunde, entsprechend 4000 ff. HP. erhielt. Hievon wurden zunächst 10 m^3 ausgenützt, bereits 1892 aber die Anlage auf 4000 HP. ausgebaut. Die Fabrikation von Aluminium-Legierungen nach dem Verfahren von Héroult war bald verlassen worden, um der Gewinnung von Rein-Aluminium nach eigenem Verfahren Platz zu machen und zwar war die A. I. A. G. die erste Fabrik, welche dieses Metall auf elektrolytischem Wege gewann und dadurch die bisher auf chemischem Wege Aluminium gewinnenden Fabriken in England und Deutschland aus dem Felde schlug. Der stetig wachsende Bedarf an Rein-Aluminium und Aluminium-Legierungen liess nach einigen Jahren die am Rheinfall zur Verfügung stehende Kraft unzulänglich erscheinen und führte zur Errichtung von Filialen in Rheinfelden (Baden) mit ca. 7000 HP. und in Lend-Gastein (Österreich) mit 9000 HP. welche 1898, bezw. 1899 in Betrieb kamen Die Firma stellt die für ihren Betrieb erforderlichen Elektroden-Kohlen selbst her und besitzt auch eine eigene chemische Fabrik in Schlesien zur Gewinnung von Thonerde aus Bauxit.

Eingeschaltet sei an dieser Stelle noch, dass nach einem von Professor Dr. C. J. Chandler in New York in der letzten Jahresversammlung der Society of Chemical Industry gehaltenen Vortrage die Pittsburgh Reduction Co. ca. 10,000 lbs. pro Tag produziert, was einer Jahresproduktion von 1700 tons gleichkommt. Demgegenüber ist die Produktion der Aluminium-Industrie-Aktien-Gesellschaft doch eine weit grössere, wie sich aus folgender Zusammenstellung ergiebt, nach welcher erzeugt wurden:

1889	ca.	5	Tons
1890	„	50	„
1891	„	200	„
1892	„	300	„
1893	„	500	„
1894	„	600	„
1895	„	600	„
1896	„	600	„
1897	„	750	„
1898	„	1000	„
1899	„	1500	„
1900	„	2500	„

Auch mit der 1894 aufgenommenen Fabrikation von **Calcium-Carbid** ging die A. I. A. G. bahnbrechend vor, indem sie zuerst dieses neue Produkt des elektrischen Schmelzofens in grösserem Massstabe herstellte und in den Handel brachte. Die bald darauf in vielen Ländern entstandenen Konkurrenz-Fabriken benützen theilweise widerrechtlich die Fabrikations-Einrichtungen der A. I. A. G.

Weitere von dieser Firma hergestellte Produkte sind **Natrium-Metall**, sowie das neue Oxidationsmittel **Kalium-Perkarbonat**, welches als Ersatz für Wasserstoff- und Natrium-Superoxyd in der Bleicherei und chemischen Technik eine wichtige Rolle zu spielen berufen erscheint."

Eine zweite zuerst in der Schweiz in wirklich grossem Massstabe ins Leben gerufene elektrochemische Industrie ist diejenige der **chlorsauren Salze** des Kaliums und Natriums. Auf Grund von Versuchen in halbgrossem Massstabe, welche die Erfinder *H. Gall* und *Graf Montlaur* zu Villers-sur-Hermes in Frankreich durchgeführt hatten, wurde im Jahre 1889 eine Aktiengesellschaft, die Société d'Electrochimie, gegründet, welche die Wasserkraft in Vallorbe (im Waadtland) erwarb und dort eine Anlage errichtete, die 1890 in Betrieb kam. Schon zu Ende desselben Jahres wurden 7300 Pferdekräfte

nutzbar gemacht. 10 Turbinen und ebenso viele Dynamo-
maschinen von 100—105 Kilowatt lieferten Strom von
750 Volt Spannung. Die Turbinen waren direkt auf die
Welle der Dynamos aufgekeilt, und jede Maschinengruppe
brauchte infolge davon nur zwei Lagerböcke — das erste,
oder doch eines der ersten Beispiele dieses Systemes. Jeder
Maschine entsprach eine Batterie von hintereinander ge-
schalteten elektrolytischen Bädern. Anfangs waren diese
mit Diaphragmen versehen, aber die Erfahrungen der Gross-
praxis zeigten, dass es vorteilhafter sei, ohne poröse Zwischen-
hand zu arbeiten, was dann später auch durch Laboratoriums-
Untersuchungen bestätigt wurde.

Das Ausbringen war 1 Kilo Kaliumchlorat pro Pferdestärke in 24 Stunden; das Produkt war im ersten Anlaufe
gleich sehr rein und wurde durch eine einzige Krystallisation
auf 99,8 % gebracht. Im Jahre 1892 wurde die Fabrik bedeutend vergrössert. Ganz unabhängig davon wurde 1895
eine andere Fabrik zu Turgi an der Limmat von der Gesellschaft für elektrochemische Industrie Turgi gebaut.

Zur Zeit werden in der Schweiz 3200 Pferdestärken
zur Fabrikation von chlorsauren Salzen, in erster Linie von
Kaliumchlorat, weniger von Natrium- und Baryumchlorat, verwendet. Das Ausbringen hat sich erheblich verbessert teils
durch Verringerung des Potentialgefälles in den Bädern, teils
durch Vermehrung des Ausbringens pro Ampère. Die Jahresproduktion beträgt etwa 1800 Tonnen, die Zahl der beschäftigten Personen etwa 120.

Erst später entstanden ähnliche Fabriken in Savoyen,
Schweden etc.

Der Preis des chlorsauren Kalis hat während dieser
10 Jahre grosse Schwankungen durchgemacht. 1890 brachten
100 Kilogramm 110 Fr., später 120—140 Fr., 1898—99
nur 50—65 Fr., Ende 1900 75—80 Fr. Diese Preise
verstehen sich für grosse Posten, frei ab Seehafen gelieferte.

Das meiste wird zur Herstellung von Zündhölzchen und in der Pharmacie in allen Kulturländern verwendet.

Das chlorsaure Natron kostete anfangs viel mehr, als das Kaliumsalz und fehlte manchmal ganz auf dem Markte. Jetzt hat sich die Sachlage geändert, und sein Preis steht nur etwa 10 Fr. über demjenigen des Kaliumsalzes. Dieser Preisunterschied erklärt sich durch die grosse Wasserlöslichkeit des Natriumchlorats, welche erhebliche Eindampfungskosten verursacht, um es zur Krystallisation zu bringen. Für dieses Produkt ist die Schweiz wenig günstiger als andere Länder gelegen, weil der Preis des Kochsalzes hier verhältnismässig hoch ist, während sie für den Bezug des (ausschliesslich aus Stassfurt stammenden) Chorkaliums eher günstiger als Savoyen und Schweden gestellt ist. Das chlorsaure Natron wird ausschliesslich in der Färberei und im Zeugdruck gebraucht.

Der Verbrauch an Chloraten in der Schweiz beträgt nur 60—70 Tonnen; es muss also fast das ganze Erzeugnis der Fabriken exportiert werden, und kann natürlich diese Industrie nur bei sehr billigen Preisen für elektrischen Strom bestehen.

Berufskrankheiten haben sich in dieser Industrie nicht gezeigt; auch hat der Brand eines grossen Krystallationsgebäudes keine Explosion und keinen Verlust an Menschenleben zur Folge gehabt.

Perchlorate. Von diesen wird das Ammonium- und Kaliumsalz hergestellt, zunächst durch Elektrolyse von chlorsaurem Natron, worauf man das Natriumperchlorat durch doppelte Umsetzung mittelst Ammonium- oder Kaliumchlorid in die entsprechenden Perchlorate überführt. Diese sind sehr sauerstoffreiche und dabei sehr stabile Körper. Das Ammoniumsalz zersetzt sich beim Erhitzen ohne Hinterlassung eines festen Rückstandes. Sie würden sich daher sehr gut zu Sicherheitssprengstoffen eignen, kommen aber zu teuer für diesen Zweck, und werden daher kaum regelmässig fabriziert, obwohl man sie in grossen Mengen herstellen könnte.

Phosphor. Die Herstellung dieses Körpers auf elektrolytischem Wege ist von der Compagnie Electrique du Phosphore zu Châtelaine bei Genf unternommen, aber wieder eingestellt worden. Ebensowenig sind die von der Société d'Electrochemie zu Vallorbe angestellten Versuche weiter geführt worden, und jedenfalls kommt kein elektrolytrischer Phosphor aus der Schweiz in den Handel.

Soda und Chlor. Die Elektrolyse des Chlornatriums behufs Darstellung von Soda und Chlor (das dann meist in Chlorkalk umgewandelt wird, aber auch zu anderen Bleichmitteln, in Form von flüssigem Chlor, zur Herstellung von organischen Präparaten etc. verwendet werden kann) bietet in quantitativer Beziehung für die Elektrolyse den grössten Spielraum. Es wäre ja ein sehr grosser Vorteil, wenn die Schweiz nicht nur ihren eigenen Bedarf an diesen Artikeln decken, sondern auch als Ausfuhrland dafür auftreten könnte. Zwar ist das Kochsalz bei uns nicht sehr billig, aber dieses Hindernis wäre schon zu überwinden, wenn nicht von den Kantonen eine prohibitive Steuer darauf gelegt würde.

Ein Nachteil der Elektrolyse ist es freilich, dass dabei notwendigerweise $2^1/_2$ Mal so viel Chlorkalk als kaustische Soda gemacht wird, und daran nicht viel zu ändern ist, da keine wirklich erhebliche anderweitige Verwendung für Chlor besteht. (Chlorsaure Salze stehen natürlich ausser Frage in diesem Falle.) Bei der 1900 bei Gelegenheit der Versammlung der Deutschen Elektrochemischen Gesellschaft in Zürich veranstalteten Ausstellung waren Monochlorbenzol, Chlorphosphor, Chlorschwefel, Benzylchlorür und reine Salzsäure zu sehen, die mittelst elektrolytischen Chlors dargestellt und als wirkliche Handelsprodukte angeboten waren; auch flüssiges Chlor könnte ja gemacht werden, aber alles dies geht nicht in grossen Mengen.

Für die Elektrolyse des Chlornatriums bestehen in der Schweiz zwei Anlagen, die eine (la Société Volta zu Vernier bei Genf), die den Strom des benachbarten städtischen Elektrizitätswerks von Genf erhält, die andere zu Monthey, welche mit einer Wasserkraft der Visp und mit derjenigen des Avançon bei Bex arbeitet. Die Gesamtkraft dieser Werke beläuft sich auf 2000 Pferdestärken, wovon 1600 für Elektrolyse verwendet werden dürfen. Dies entspricht einer Erzeugungsmöglichkeit von 3000—3500 t 70 % kaustischer Soda und 7000—8000 t Chlorkalk. Wie viel davon bis heute wirklich ausgenutzt wird, ist nicht bekannt. Nach einer Mitteilung der Fabrik zu Monthey in der Revue de l'Electricité, 1900, IX p. 140, habe sie ein Ausbringen von 88,3 % der Theorie auf die Stromstärke erreicht, nämlich 1,32 g Na OH pro Ampèrestunde oder 405 g pro Kilowattstunde, bei einer Klemmenspannung von 3,257 Volt in den Bädern.

Die in beiden Fabriken angewendeten Verfahren sind von einander verschieden, aber beide arbeiten mit Diaphragmen und mit Kohlenanoden. Die zu überwindenden Schwierigkeiten waren sehr grosse, und es ist unbekannt, bis zu welchem Grade sie überwunden worden sind. Notorisch bringen aber beide Fabriken seit Ende 1899 erhebliche Mengen von Chlorkalk und Ätznatron in den Handel, das letztere von grosser Reinheit, nämlich mit nur 2—3 % Na Cl. Die Arbeiterzahl beider Fabriken zusammen beträgt etwa 150.

(Bemerkenswert ist, dass die Einfuhr von Chlorkalk nach der Schweiz 1900 nur wenig mehr als 1899 betrug (13,475 q gegenüber 12,964 q), die Ausfuhr dagegen den Sprung von 3772 q auf 12,753 q machte. *G. L.*)

Persulfate. Die Persulfate sind energische Oxydationsmittel, welche die Eigentümlichkeit haben, den Sauerstoff teilweise in Form von Ozon zu liefern und daher gewisse Oxydationen zu vermitteln, welche sich sonst nicht bewirken lassen. Sein hoher Preis hat freilich ihrer Verbreitung im Wege gestanden. In der Photographie werden sie angewendet, um die zu wenig porösen und zu stark entwickelten Platten zu verbessern. Die

Einzelheiten bleiben dabei fast unberührt, während nur die
dunkeln Partien des Negativs abgeschwächt werden, und das
Bild harmonischer wird. Im Handel kommt das Kalium-
und Ammoniumsalz vor; das Natriumsalz ist so leicht lös-
lich, dass man es nur sehr schwierig in festem Zustande
herstellen kann. Die Darstellung geschieht in Apparaten
mit Diaphragma und bei niedriger Temperatur; die Elektrolyse des Ammoniumsulfats in Gegenwart von Schwefelsäure
giebt an der Anode Persulfat, das herauskrystallisiert,
während kaustisches Ammoniak zur Kathode wandert. Von
diesen fast nur in der Photographie angewendeten Produkten
fabriziert die Société d'Electrochimie zu Vallorbe und *O. Neher*
zu Mels (St. Gallen) zusammen etwa 2000—2500 *kg* im Jahre.

Calciumcarbid. Schon oben ist erwähnt worden, dass
die *Aluminum-Industrie-Aktiengesellschaft in Neuhausen* sich
seit 1894 mit der Darstellung dieses Artikels beschäftigte,
welcher bekanntlich beinahe gleichzeitig von *Willson* in Nordamerika und *Bullier* in Frankreich durch Benutzung des
elektrischen Stromes als Heizquelle der Industrie zugänglich
geworden ist. *Bullier* stellte 1895 zu Vallorbe einige Tonnen
dieses Produktes her, wovon auf der schweizerischen Landes-
ausstellung in Genf 1896 eine Probe ausgestellt war. In
demselben Jahre kam das Produkt der Fabrik in Neuhausen
in grösserem Massstabe in den Handel; es sollen dort 2000
bis 2500 Pferdestärken für diesen Zweck benutzt werden;
1897 kam eine Fabrik zu Luterbach bei Solothurn mit
600 Pferdestärken, und die des „Volta" zu Vernier bei Genf
mit 2000 Pferdestärken in Betrieb. Später wurden Fabriken
angelegt zu Lonza bei Gampel mit 7500 Pferdestärken, zu
Hagneck bei Nidau, in Gurtnellen, in Flums (mit 3000 Pferdestärken), in Thusis (mit 3000 Pferdestärken), zu Vernayaz
(mit 900 Pferdestärken). Mehrere dieser Fabriken sind bereits
wieder eingegangen; von anderen scheint es ungewiss, ob sie
mehr als versuchsweise in Betrieb gekommen sind. Im
ganzen würden alles zusammengenommen über 24,000 Pferde-

stärke für diese Industrie zu Gebote gestanden haben, aber
behaftet mit den bekannten Ungleichmässigkeiten der Wasserkraft in verschiedenen Jahreszeiten, so dass, mit Rücksicht
hierauf und auf den Kraftverlust bei der Umwandlung in
elektrischen Strom, die Produktionsfähigkeit aller schweizerischen Fabriken zusammen wohl auf 15,000 elekrische
Pferdestärken oder die gleiche Zahl an Tonnen Carbid (80 %)
angesetzt werden kann. (Man behauptet, in 24 Stunden per
Kilowatt 7 kg Carbid gemacht zu haben, doch garantieren
die Konstrukteure nur 4 kg, und selbst über das theoretische
Maximum, das $= 8{,}4$ kg angegeben wird, herrschen noch
Zweifel. 4 kg per Kilowatt in 24 Stunden entspricht etwa
1000 kg per elektrische Pferdestärke im Jahre.)

Die wirkliche Produktion im Jahre 1900 soll, ohne Ein-
rechnung von Neuhausen, sich auf 8000 t belaufen haben.

Die Mehrzahl der Fabriken scheint mit Wechselstrom,
einige mit Gleichstrom zu arbeiten. Zu Neuhausen sollen
beide Systeme angewendet werden (nach l'Industrie électro-
chimique, 1900, IV p. 96). Die Ofensysteme gehören zwei
verschiedenen Klassen an. Bei der einen wird das Gemisch
von Kalk und Koks kontinuierlich eingetragen, und das
Produkt im flüssigen Zustande abgestochen. Bei der andern
arbeitet man intermittierend; wenn der Block von Carbid
ein gewisses Volumen erreicht hat und der Ofen genügend
angefüllt ist, stellt man den Strom ab, lässt den Ofen bis
zu einem gewissen Grade erkalten, entfernt das erstarrte Carbid, das von den nicht umgewandelten, ihm noch anhängenden
Materialien befreit und zerkleinert wird. Die Abstichöfen
betragen etwa ein Drittel, die anderen zwei Drittel der in
der Schweiz erbauten. Jedes dieser Systeme hat seine Vor-
züge und Nachteile und dem entsprechend Freunde und
Gegner. Ein abschliessendes Urteil ist zur Zeit noch nicht
möglich. Dem in Blockform erzeugten Carbid wird vorge-
worfen, dass es einen schwarzen Rückstand gebe, der bei

manchen Acetylenapparaten Unannehmlichkeiten verursacht;
doch wird ja notorisch sehr viel solches Carbid verbraucht.
1896 galt Calciumcarbid in Europa noch 600 – 800 Fr.
pro Tonne. Anfang 1901 war der Preis 200 Fr. ab Fabrik
ohne Verpackung. Selbst unter diesem Preise sind Posten
verkauft worden, aber nur infolge von Liquidationen oder
sonstigen Zufällen.

Der Verbrauch von Carbid in der Schweiz betrug 1900:
600—800 Tonnen, und dürfte 1901 auf 1000 Tonnen steigen.
Die schweizerischen Käufer sind fast alle Privatleute; zwei
oder drei kleine Städte werden vollständig mit Acetylen
erleuchtet, und die Vereinigten Schweizer-Bahnen haben das
Acetylen für die Eisenbahnwagen-Beleuchtung eingeführt.

Das übrige Erzeugnis wird hauptsächlich nach folgenden
Ländern ausgeführt: Frankreich, Deutschland, England, Süd-
amerika, die englischen und französischen Kolonien, bezw.
Australien, China.

Die schweizerischen Fabriken haben ein Verkaufssyndikat
gebildet, das einen Teil des internationalen Syndikats bildet,
zu dem auch die skandinavischen, deutschen und öster-
reichischen Fabriken gehören.

Vor der Carbidkrisis beschäftigte diese Industrie in der
Schweiz etwa 300 Arbeiter, abgesehen von Kalkbrennen,
Blechbüchsen- und Elektroden-Fabrikation; seit Bildung des
Syndikats ist jene Zahl geringer geworden.

Durch die Entscheidung zu Gunsten des französischen
Patents von *Bullier* wird der schweizerische Export nicht
allzu schlimm betroffen, da die Hauptmenge des Carbids über
die deutsche Grenze geht und in Deutschland das *Bullier*'sche
Patent aufgehoben worden ist.

6. Pharmazeutische und photographische Präparate.

Bis über die Mitte des neunzehnten Jahrhunderts hinaus deckten die Apotheker ihren damals noch geringen Bedarf an chemisch-pharmazeutischen Produkten selbst, indem sie dieselben im kleinen und nur für ihren eigenen Bedarf herstellten. Zwar fingen bereits einige an im grössern zu fabrizieren und ihre Erzeugnisse an andere zu verkaufen. Unter diesen zeichnete sich namentlich *Dr. Spiller* in Frauenfeld aus, der von 1852—1863 die gebräuchlichsten Chemikalien in den Handel brachte. Schon vor ihm hatte *E. F. Hübschmann* in Feuerthalen mit der Herstellung von Kreosot aus Buchenholzteer begonnen und diese in Stäfa, wohin er 1837 übersiedelte, im grossen weiter betrieben. Als ihn Prozesse mit seinen Nachbarn zwangen, diese Fabrikation einzustellen, fabrizierte er noch längere Zeit Holzessigsäure, verschiedene Äther, Aceton, Aconitin, Atropin, Colocynthin, Lycoctonin, Santonin, Veratrin und narkotische Extrakte.

Im Jahre 1864 eröffneten *Henner & Cie* in Wyl eine Fabrik chemisch-pharmazeutischer Präparate, welche sich jedoch, trotz günstigen Anfängen, nicht als lebenskräftig erwies und nach wenigen Jahren wieder einging.

In Bern gründete ungefähr um dieselbe Zeit *Karl Haaf* eine Fabrik chemisch-pharmazeutischer Präparate verbunden mit Drogenhandel im grossen, ein Geschäft, das heute noch floriert.

Aus der im Jahre 1872 von *C. F. Hausmann* in St. Gallen eröffneten Hechtapotheke hat sich im Laufe der Zeit das heutige schweizerische Medizinal- und Sanitätsgeschäft entwickelt, das drei Apotheken und verschiedene Laboratorien umfasst. Hier werden neben Spezialitäten wie Adhäsionin, Glutoïdkapseln, Injektionsflüssigkeiten, Servatolseife etc. hauptsächlich die Präparate der Pharmakopöe fabriziert.

Im darauffolgenden Jahrzehnt traten eine Reihe neuer Firmen ins Leben. So errichtete im Jahr 1873 *B. Siegfried* in Zofingen eine Fabrik für galenische und chemische Präparate in Verbindung mit Grossdrogenhandel, ein Haus, das sich von kleinen Anfängen zu ziemlicher Bedeutung emporgearbeitet hat. Es werden dort nicht nur sämtliche galenische Präparate, sondern auch verschiedene Äther, alle Phosphorverbindungen und Eisenpräparate, Metallsalze, Wasserstoffsuperoxyd, Essigessenz, Vanillin u. a. m. hergestellt.

E. Siegwart in Schweizerhall (geg. 1874) stellt heute neben photographischen Spezialäten besonders Fluorverbindungen her.

Nach der Einführung des Antipyrins in den Achtzigerjahren nahmen auch die Basler Farben Fabriken die Fabrikation von pharmazeutischen Artikeln auf. So waren es namentlich die *Gesellschaft für chemische Industrie, die chemische Fabrik vorm. Kern & Sandoz, Hoffmann & Traub* jetzt *Hoffmann, La Roche & Cie.* und später auch die *Basler chemische Fabrik*, die mit der Herstellung von Antipyrin, Phenacetin, Saccharin und Salol begannen und besonders in letzter Zeit eine Anzahl neuer Produkte wie Krophin, Malakin, Vioform und Airol auf den Markt bringen.

Besonders günstig für die Entwicklung der chemisch-pharmazeutischen Fabriken waren die Jahre von 1890 an und demgemäss wuchsen in den darauf folgenden Jahren eine grosse Zahl solcher Etablissemente empor, die sich jedoch durchschnittlich, im Gegensatz zu den schon bestehenden ältern Firmen, nicht mit der Herstellung einer grössern Anzahl von Produkten befassten, sondern ihr Hauptgewicht auf einzelne Artikel verlegten.

3

Th. Mühlethaler in Nyon stellt seit 1890 synthetisch Riechstoffe her, eine Fabrikation, die in der letzten Zeit in der Schweiz stark an Ausdehnung gewonnen hat und momentan hauptsächlich durch *Dr. Curchod* in Nyon, *Dr. Ebert* in Zürich und zwei grössere Etablissemente, die *chemische Fabrik Schlieren* und die *chemische Fabrik Brugg* vertreten ist. Die beiden letztgenannten Häuser fabrizieren zudem noch Guajakol- und Kreosotpräparate, sowie Vanillin, Äthylchlorid, Saccharin (Brugg) Phenacetin und Acetanilin (Schlieren).

E. Kälberer in Genf, sowie die schon vorher erwähnte Firma *Hoffmann, La Roche & Cie.* befassen sich mehr mit organotherapeutischen Artikeln. Diphtherieserum und Impflymphe wird in Bern unter der Oberaufsicht von Professor Tavel im *schweizerischen Serum- und Impfinstitut* vorm. Häfliger & Cie., Impflymphe allein bei *Felix & Flück* in Lausanne hergestellt. Nicht lebensfähig erwiesen sich zwei Weinsteinsäurefabriken, die nach kurzem Bestehen wieder eingingen. Die wenigen Milchzuckerfabrikanten konnten sich zwar halten, haben jedoch einen schwierigen Standpunkt gegenüber der amerikanischen Konkurrenz. Verbandstoffe werden in drei namhaften Geschäften hergestellt, in Genf von *H. Russenberger*, ferner in Schaffhausen und Bern.

Bekannt sind ferner die Genfer Spezialitätenfirmen Laboratoires *Sauter* und *Horst & Röhrich*.

Die chemisch-pharmazeutische Industrie umfasst gegenwärtig an die 30 Firmen, diese beschäftigt rund 1000 Arbeiter. Die Lohnverhältnisse können durchweg als gut bezeichnet werden, indem die Durchschnittslöhnung zwischen 3 und 4 Fr. schwankt.

7. Seifen-Fabrikation und verwandte Industrien.

Die Firma *Friedrich Steinfels, A.-G.*, in Zürich giebt folgenden geschichtlichen Abriss über die Seifenfabrikation in der Schweiz:

„Die Anfänge dieses Industriezweiges in der Schweiz liegen im Dunkeln. Wahrscheinlich ist, dass die hochcivilisierten Römer, die mehr als vier Jahrhunderte hindurch unsere Gauen beherrschten, ihre entwickelten Kulturbedürfnisse auch auf unsern Boden verpflanzten und als eine der hauptsächlichsten auch die Darstellung von Seife betrieben.

„Als jedoch zu Anfang des 5. Jahrhunderts unserer Zeitrechnung die römischen Legionen dem Ansturm der wilden germanischen Völkerschaften weichen mussten, da verschwanden zugleich mit ihnen die Künste der höheren Gesittung und Kultur für eine lange Zeit. Es ist uns nicht bekannt, und auch sehr wenig wahrscheinlich, dass die rauhen Alemannen, Burgunder, Rätier etc. einen ausgiebigen Gebrauch von der reinigenden Kraft der Seife gemacht hätten.

„Selbst das Zeitalter der Minnesänger war im Punkte der Reinlichkeit von Körper und Wäsche für unsere heutigen Begriffe noch ziemlich barbarisch, und nicht jeder sangeslustige Ritter leistete sich den Luxus einer täglichen Waschung.

„Was die Zwischenzeit bis zu Beginn des 19. Jahrhunderts betrifft, so lässt sich nur wenig sagen, was auf diesem Gebiet für die Schweiz charakteristisch wäre. Wie in allen umliegenden Ländern war die Seifensiederei Kleingewerbe. Der wässerige Auszug der Holzasche wurde mit Kalk ätzend gemacht und mit den zur Verfügung stehenden

Fetten gesotten. Nach eingetretener Verseifung wurde dann
die entstandene Kaliseife ausgesalzen und durch das Chlor-
natrium zu gleicher Zeit in eine feste Natronseife umgewandelt.
Als hauptsächlichstes Fett wird wohl der Talg der Haustiere
gedient haben. Es ist einleuchtend, dass die Seifensiederei
im oben angedeuteten einfachen Stande ihrer Entwicklung
vielfach Gegenstand privater Kunstfertigkeit war. Selbst in
den grösseren Schweizerstädten, wie Zürich, Basel, Bern,
finden wir keine eigenen Seifensiedergilden, wie solche im
benachbarten Deutschland an vielen Orten vorkommen. Der
Bedarf an Seife wurde teils durch fahrende deutsche Ge-
sellen hier fabriziert, teils direkte aus dem Auslande bezogen.

„Wohl der grösste Teil der importierten Seife stammte
aus Südfrankreich; namentlich aus Marseille. Diese Stadt
war von jeher, schon im frühen Mittelalter, ein Hauptcentrum
der Seifenfabrikation gewesen, und die aus Olivenöl dargestellten, etwas grünlichen Marseillerseifen waren bei uns
sehr beliebt. Die Hausfrauen schätzten an ihr die zarte,
schmeidigende Wirkung, die eine Olivenölseife auf die
menschliche Haut ausübt; ebenso war sie auch der Textil-
industrie, namentlich der bei uns so hochentwickelten Seidenindustrie unentbehrlich. Der Import aus Deutschland, Italien
und Österreich stand wohl von jeher an Bedeutung weit
hinter dem französischen zurück.

„Das 19. Jahrhundert brachte, wie auf vielen andern
Gebieten, so auch in der Seifenfabrikation vieles neue. Als
die Eisenbahnen die Verkehrsverhältnisse zu erleichtern begannen, wurden auch die natürlichen Hülfsmittel unserer
schweizerischen Seifenfabrikanten grösser. Eine ganze Reihe
neuer, zum Teil höchst nützlicher Fette, standen uns nun
zu Gebote, wie Cocosöl, Oliven-, Palm-, Palmkernöl u. s. w.
Auch die Früchte grossartiger Arbeit auf chemischem Gebiete wurden geerntet. Der umständliche Weg der Seifen-
darstellung, wie wir ihn kurz angedeutet haben, konnte auf-

gegeben werden, da uns Frankreich und Deutschland an
Stelle der unreinen Aschenlauge direkt mit Leblanc'scher
später auch mit der vorzüglichen Solvay-Soda versorgten.
Mit der steigenden Vervollkommnung der Technik wurde
die innere Einrichtung der Seifensiedereien fortschreitend
zweckentsprechender, reinlicher und bequemer. — Ein grosser
Fortschritt war namentlich die Einführung des Dampfes als
Heizmaterial an Stelle der direkten Feuerung, wobei kein
Anbrennen der Seife mehr zu befürchten war, und die Hand-
habung der Ventile und Hähne äusserst leicht und mühelos
vor sich ging. Als eine sehr willkommene Eigenschaft des
Dampfes für die Seifensiederei muss noch hervorgehoben
werden, dass er, wenn direkt als Dampfschlange auf den
Grund des Kessels eingeführt, das Mischen der flüssigen Seife
im Kessel automatisch und gründlich besorgt, während das
Umrühren nach der alten Art, mit Spatteln und Stangen,
harte Arbeit und manchen Schweisstropfen forderte.

„Ausgerüstet mit allen diesen neuen Errungenschaften
durften die Schweizer es nun wagen, den Kampf mit der
mächtigen Marseillanerkonkurrenz erfolgreich aufzunehmen.

„*Friedrich Steinfels* in Zürich war der Mann, welcher der
schweizerischen Seifenindustrie dieses wichtige Feld eroberte.
Er, als Inhaber eines alten, renommierten Geschäftes, stellte
als Erster eine Olivenseife dar, die gleichwertig war mit der
besten Seife, die je von Marseille aus in den Handel gekommen war. Mehr und mehr wurde der Marseillanerkonkurrenz der Boden abgerungen, so dass man heute die
Fabrikation der Olivenölseife in der Schweiz als gesicherten
Besitz der einheimischen Industrie ansehen darf. Dies ist
umsomehr der Fall, als bei uns in der Schweiz fortwährend
noch vorzügliche Qualitäten von Olivenölseife hergestellt
werden, während ein grosser Teil der Marseillanerfabrikanten
von ihrem alten, bewährten Verfahren abgefallen sind und
eine billige, aber minderwertige Ware von wenig, meistens
aber ohne Olivenölgehalt fabrizieren.

„Es möge ferner angedeutet werden, dass Friedrich Steinfels als Erster in der Schweiz die Schwierigkeiten überwand,
welche die bei der Stearinfabrikation als Nebenprodukt ab-
fallende Ölsäure oder Olïen der Verseifung entgegenstellt.
Er stellte daraus, wie gegenwärtig mehrere andere Schweizer-
häuser, eine zu industriellen Zwecken sehr geeignete gelbe
Seife her.

„Um endlich noch einiger anderer Seifensorten zu gedenken,
so werden auch die in England ausschliesslich gebräuchlichen
Harzkernseifen in der Schweiz schon seit ca. 30 Jahren bereitet.
Sie geniessen den Vorzug der Billigkeit, können sich jedoch
in ihren Eigenschaften bei weitem nicht mit einem aus guten
Fetten und Ölen dargestellten Produkte messen, da sie naturgemäss auf der Wäsche einen grauen oder gelben Schein
zurücklassen und zum Waschen der Hände benutzt, die Haut
spröde und rissig machen.

„Die weichen Seifen, sogen. Schmierseifen, werden durch
Verseifung mit Kali dargestellt. Sie sind norddeutschen Ur-
sprungs, von wo sie auch zuerst ihren Weg in die Schweiz
fanden. — Am beliebtesten sind hier die guten hellen und
transparenten Sorten, da sich unsere schweizerische Bevölkerung gottlob grossenteils ein gesundes, richtiges Urteil
bewahrt hat, im Gegensatz zum übrigen Europa, wo das
Billigste und Schlechteste seit langem der Herrschaft zustrebt.

„Die neueste Erscheinung auf dem Gebiete der Seifenfabrikation sind die Toiletteseifen, welche von einigen Häusern
der deutschen und französischen Schweiz seit etwa 30 Jahren
hervorgebracht werden. — Sie erfordern sowohl eine sehr
sorgfältige Darstellung als auch einen bedeutenden mechani-
schen Hülfsapparat, wie Walzwerke, Pressen u. s. w. Auch
diese Seifen erfreuen sich eines zunehmenden Absatzes.

„Im ganzen betrachtet, bietet die schweizerische Seifenfabrikation das Bild stetigen, wenn auch mühevollen Ge-

deihens. Trotz der Ungunst der Verhältnisse, die uns zwingt, unsere sämtlichen Rohprodukte, wie Öle, Fette, Soda und Kohlen aus dem Auslande zu beziehen, ist diese Industrie doch im stande, den Bedarf an Seife zu decken und sich, wenn durch die Behörden in richtiger Weise sekundiert, die hohe Flut fremdländischer Konkurrenz erfolgreich vom Leibe zu halten.

„Bleibt unser kleines Land von schweren politischen oder kommerziellen Verwicklungen verschont, so wird die Seifenindustrie als lebenskräftiges Glied des Ganzen kraft der Vigilanz und Ausdauer unserer Fabrikanten stets das Ihrige beitragen zum Wohlstande des Vaterlandes."

Die Seifenfabrikation in der Schweiz ist nächst derjenigen der künstlichen Farbstoffe die bedeutendste der chemischen Industrien in der Schweiz, wobei natürlich neben den eigentlichen Fabriken auch das, freilich immer mehr an Bedeutung verlierende, Handwerk noch einzurechnen ist. Einige der grössten Fabriken haben daneben noch die Gewinnung des Glycerins aus den Unterlaugen, sowie die Herstellung von Stearin und Kerzen verschiedener Art eingeführt. Alle diese Zweige arbeiten grösstenteils für den inländischen Verbrauch, der aber durch sie noch nicht gedeckt wird. Im Jahre 1895 wurde 2,687,200 kg gewöhnliche Seife (Wert 1,406,000 Fr.) und 86,300 kg Toiletteseife (Wert 324,000 Fr.) eingeführt, gegenüber einer Ausfuhr von 591,000 kg gewöhnlicher (Wert 41,000 Fr.) und 8,700 kg Toiletteseife (Wert 21,000 Fr.). Vergl. ferner den statistischen Anhang.

Die Fabrikation von Seifen, Kerzen u. s. w. ist am bedeutendsten im Kanton Zürich (Zürich und Winterthur), nächstdem in Basel, Genf, Biel, Morges und einigen anderen Orten.

Türkischrotöl, das Produkt der Einwirkung von Schwefelsäure auf Ricinusöl, wird von einigen Grosskonsumen-

ten für ihren eigenen Gebrauch hergestellt; ausserdem
von drei oder vier anderen Firmen, die zusammen etwa
150,000 *kg* im Jahre fabrizieren. Seine Verwendung geschieht
ausser in der Rotfärberei auch im Zeugdruck.

---

8. Stärke und Dextrin.

Im Jahre 1840 dürfte der erste fabrikatorische Versuch
zur Herstellung von Kartoffelstärke in der Schweiz stattgefunden haben, nachdem schon früher im Kanton Aargau die
Herstellung von Amlung aus Korn als Hausbetrieb in kleinen
Mengen betrieben worden sein soll. Bald darauf im Jahr
1845 begann auch schon im Kanton Thurgau mit primitiven
Hülfsmitteln (einem Göpel als Motor) die Fabrikation der
Weizenstärke oder, wie dieses Produkt in der Schweiz heisst,
der **Weizen-Amlung**. Im folgenden Jahre wurde schon eine
Dampfmaschine an Stelle des Göpels gesetzt und der Betrieb
der ersten Fabrik wesentlich erweitert. Bis in den Anfang
der Siebziger Jahre wurde der Weizen und das Korn (ausschliesslich Landesprodukt) auf Amlung und Futter verarbeitet und erst die in Österreich (Baden bei Wien) ge-
machte Entdeckung, dass der Kleber in einer gewissen Zu-
bereitung ein vorzügliches Lederleimmaterial ergebe, liess die
schweizerischen Fabrikanten (es waren deren unterdessen im
Thurgau 4, im Kanton Zürich 1, im Kanton St. Gallen 2
geworden) ihre Betriebe derart modifizieren, dass die Ver-
arbeitungen ausländischen Hartweizens zu **Weizenmehl** an
Stelle des früheren Verfahrens gesetzt wurde.

Es gebührt hier unstreitig einem Thurgauischen
Fabrikanten, Herrn *Chr. Fr. Wartenweiler,* das Verdienst,

die Herstellung eines besonders schönen und gesuchten
Kleberfabrikates erreicht zu haben, welcher für viele Jahre
dem Schweizerischen Wienerpapp auf allen Märkten den
Vorzug sicherte.

Mit der starken Entwicklung der Textil-Industrie in der
Schweiz wuchs auch die Stärkeindustrie sichtlich. Aus kleinen
Betrieben wurden ansehnliche Fabriken; in den Siebziger
Jahren wurde die bisher nur aus den Vogesen importierte
Kartoffelstärke in Norddeutschland mehr und mehr in Gross-
betrieben hergestellt und in grossen Mengen zu stark fallen-
den Preisen auch in unserm Vaterlande eingeführt, so dass
die Herstellung der Kartoffelstärke nicht mehr lohnte. Auch
die mehrfach seither in diese Richtung gemachten Anläufe
ergaben immer ein vollkommen negatives Resultat. Im
Anschluss an die Stärkefabrikation wurde auch die Herstellung
von gebrannter Amlung für die Glarner Druckindustrie, in
Konkurrenz gegen die Elsässer Dextrinfabrikanten, mit Erfolg
eingerichtet und daran anschliessend später auch in einem
grösseren Etablissement die Dextrinfabrikation.

Während lange Jahre beinahe ausschliesslich Kartoffel-
und Weizenstärke im Verbrauch waren, trat für die letztere
in der **Reisstärke** ein gefährlicher Konkurrent auf, welcher
seiner einfacheren Verwendung wegen zum Stärken der Leib-
wäsche die Weizenamlung vielfach zurückdrängte. Durch
die weitere Entwicklung der Textilindustrie, der Stickerei-
industrie etc. war es dennoch möglich, eine neue grössere
Anlage in den achtziger Jahren in Betrieb zu setzen, welche
neben Weizenstärke auch **Maisstärke** in grösster Reinheit,
ferner Dextrine, gebrannte Amlung u. s. f. zu erzeugen
unternahm. Trotz der ungeheuren Konkurrenz des Aus-
landes, welches immerwährend bemüht ist, die Überproduktion
seiner zeitweise ungenügend beschäftigten Industrie in unserem
kleinen Lande unterzubringen, ist unsere Stärke- und Dextrin-
industrie, welche nebenbei gesagt keinen Zollschutz hat, der-

artig kräftig entwickelt, dass deren Vorsprung hinsichtlich
der Fabrikationsmethoden und der hieraus gezogenen Produkte
wohl noch manche Jahre den sich immer wiederholenden
Anprall ausländischer Produkte abwehren kann.

Die Produktion der fünf namhafteren Anlagen deckt den
Bedarf der Schweiz vollkommen; sie erreicht schätzungsweise
15,000—20,000 q à 100 kg Weizenamlung,
3,000— 5,000 „ „   „   „ Maisamlung,
2,500— 3,000 „ „   „   „ Wienerpapp,
5,000— 6,500 „ „   „   „ Dextrine und gebrannte Amlung.

Es ist nicht unwahrscheinlich, dass auch für die Herstellung von Reisstärke in allernächster Zeit die für den
Bedarf genügende Anlage erstehen wird, nachdem sich hiefür
ein sicherer Absatz und genügende Aussichten für die
Prosperität einer Anlage bieten.

9. Leim.

Diese Industrie ist bei uns nicht von sehr grosser Bedeutung und deckt den schweizerischen Bedarf bei weitem
nicht; es werden jährlich noch ca. 700—800 tons verschiedener Sorten, hauptsächlich aus Frankreich und Deutschland, eingeführt.

Die grösseren Fabriken sind relativ jüngeren Datums.
Früher existierten einige kleinere Betriebe da und dort auf
dem Lande zerstreut. Diese stellten hauptsächlich einen
dünnschnittigen Knochenleim her. Die neueren Fabriken
von **Knochenleim** verlegten sich speziell auf die Herstellung
eines sehr kräftigen Leimes, der auch im Auslande sehr
geschätzt ist und wovon ziemlich viel exportiert wird. Es

sind dies dickschnittige Sorten, hauptsächlich für Holzindustrie bestimmt.

Für **Leder-** oder **Hautleim** bietet die Schweiz, wenn auch in beschränktem Masse, ein vorzügliches Rohmaterial, so dass auch in den jetzt bestehenden 2 Fabriken eine gute Waare hergestellt wird.

Ausserdem sind die Produkte der einzigen **Gelatinefabrik** Winterthur bereits überall bekannt und geben die beste Rendite. Der Export in Gelatine ist ziemlich bedeutend.

10. Lacke und Firnisse, Buch- und Steindruckfarben, Pigment-Farbstoffe etc.

Die Fabrikation der Lacke, schon im grauen Altertum bei den Chinesen und Japanern heimisch, kam erst viel später, Ende des vorletzten Jahrhunderts, in Europa zur Einführung. Es waren die Holländer und Engländer, welche zuerst versuchten, die japanischen Lacke nachzuahmen, um nachher dann auf die Herstellung analoger Produkte vermittelst Kopal, Leinöl und Terpentinöl im grossen überzugehen. Es folgten dann im zweiten und dritten Jahrzehnte des vorigen Jahrhunderts die Franzosen und Deutschen, und gegen Mitte desselben wurde in der Schweiz der fabrikmässige Betrieb dieser Industrie, wenn auch nur vorerst in höchst einfacher und primitiver Form, aufgenommen.

Die ersten Lackfabrikanten waren auch hier Anstreicher und Lackierer selbst, die sich je nach ihren Bedürfnissen, nach verschiedenen Methoden ihren Lack fabrizierten, wie sie es bei ihren Meistern im In- und Auslande gelernt hatten.

Die damals zur Verfügung stehenden Kopalsorten waren gering. Es wurde beinahe ausschliesslich Kauwrie (Kaurie-Kopal) geschmolzen, der infolge seiner leichten Schmelzbarkeit, und weil er sich gut mit Öl verbindet, selbst bei dem ganz primitivsten Verfahren immerhin gut brauchbare Produkte lieferte. Zu hellen Lacken diente Demer, zu schwarzen Asphalt. Auch die sogenannten „flüchtigen Lacke", die Weingeist- oder Spirituslacke, aus Harz, Schellack, Mastix, Sandlack etc. wurden hergestellt.

Als durch den Bau der Eisenbahnen sich auch bei uns der Verkehr zu heben anfing, als von England und Holland aus fertige Lacke bezogen werden konnten, kam man auch bei uns auf den Gedanken, Lack- und Firnisfabriken zu gründen. Es wurden zunächst unbedeutende Firniskochereien in Zürich, Aarau, Burgdorf errichtet, die sich auf die Herstellung von Ölfirnis, Mittellacken, Sikkativen etc. in der Hauptsache beschränkten und sich lediglich auf die Methoden und Erfahrungen, wie sie die Anstreicher und Lackierer bei der Selbstfabrikation erworben, stützten.

Die Fortschritte, die man machte, waren in den ersten Jahrzehnten keine bedeutende. Man konnte gegen die feinen Lacke der Engländer und Holländer, speziell für Wagenlackierereien, nicht aufkommen, weil man es nicht verstand, ölreiche Lacke zu fabrizieren.

Erst gegen Ende der 60er Jahre kam man auch bei uns zur Erkenntnis, dass die Haltbarkeit und der Glanz der Lacke nicht durch den grossen Gehalt an Kopal bedingt sei, sondern dass es speziell Leinöl ist, welches Geschmeidigkeit und Haltbarkeit in aller erster Linie bedingt. Es wurde das in England gebräuchliche Verfahren eingeführt, und man begann gegen das Monopol der Engländer Front zu machen. Die Betriebe wurden vergrössert; neue Etablissements entstanden so in Bern, Steckborn, Zofingen, Basel, Chur etc. Über ein Dutzend mehr oder weniger grosse Lackfabriken

sind nach und nach entstanden und die Lackindustrie hat
sich in den letzten 3 Jahrzehnten allmählich auf eine Stufe
emporgearbeitet, die es ihr möglich macht, erfolgreich gegen
jede fremde Konkurrenz zu kämpfen. Viele Vorurteile
waren und sind zum Teil noch zu besiegen, manches Hindernis ist noch zu nehmen.

Mit der Ausdehnung und Hebung des Verkehres und
der Industrie im allgemeinen ist der Konsum der Lacke
ganz erheblich gestiegen, allein es haben sich andererseits
auch die Marktverhältnisse in der Schweiz total geändert.
England, das neben Holland früher sozusagen das Monopol
in dieser Branche inne hatte, bekam in Frankreich,
Deutschland, Belgien und Amerika ganz gewaltige Kon-
kurrenten und all diese Länder treten nun auch in der
Schweiz in höchst empfindlicher Weise in Mitbewerb, was
infolge der geringen Einfuhrzölle und billigen Transitfrachten
wesentlich leicht gemacht wird. Namentlich Deutschland
wirft mit Vorliebe seine Überproduktion in unser Gebiet
und hat die schweizerische Lackindustrie unter dieser Konkurrenz viel zu leiden. Zudem ist der schweizerische Fabrikant
ganz auf das Inland angewiesen; die hohen Einfuhrzölle der
Nachbarländer gestatten ihm nicht, sein Absatzgebiet auszu-
dehnen, während umgekehrt unsere viel niedrigeren Zölle
der Einfuhr Thür und Thor öffnen. Darin liegt ein Haupt-
grund, warum die einzelnen Etablissements dieser Branchen
sich bezüglich ihrer Ausdehnung nur bis zu einer gewissen
Höhe entwickeln können; der Umsatz bleibt eben in gewissen
Grenzen. Durch den übergrossen Wettbewerb auf diesem
Gebiete sind auch die Preisverhältnisse zum Teil recht uner-
freuliche und ungünstige geworden.

Die sogenannten Kursartikel: Leinölfirnis, Terpentinöl
etc. müssen zu Preisen abgegeben werden, die wenig oder
keinen Nutzen mehr abwerfen. Ebenso ist das Risiko infolge der sehr oft höchst unsoliden Kundsame ein ganz be-

trächtliches. Auch die Preise für Lacke sind viel zu tief ge-
drückt zu nennen. Die Sucht, nur das Allerbilligste zu
verwenden, ist leider an vielen Orten eingerissen.

So wenig, wie jede andere Industrie, hat sich auch die
Lackindustrie den erscheinenden Neuerungen verschliessen
können. Von dem Zeitpunkte an, wo sich die chemische
Wissenschaft näher mit der Untersuchung und Erforschung
der Fette und Öle beschäftigte, haben neue Anschauungen
alte, vererbte Ansichten mit Recht verdrängt, und es ist
geradezu unerlässlich, den jeweilen veränderten Verhältnissen
Rechnung zu tragen. Die derzeitige Lage der Lack- und
Farbenindustrie im allgemeinen kann kaum eine günstige,
erfreuliche genannt werden. Industrielle Krisen, allgemeine
Trägheit des Geschäftslebens, namentlich im Baugewerbe,
wirken sofort auf dieselbe und drücken die Aussichten
auf guten Absatz bedeutend herab. Kommt dazu eine allgemeine Geldknappheit, so hat die Lack- und Farbbranche
ganz besonders darunter zu leiden; liegt doch ein grosser
Teil ihrer Kundschaft in Handwerkerkreisen, bei denen auch
in guten Zeiten bares Geld nur bei den besser Situierten
vorhanden ist.

Die Spirituslacke für Holz, Leder, Papier und Metalle
bilden einen Nebenzweig der Fabrikation fetter Lacke und
werden in allen Sorten hergestellt,

Ölkocherei. Leinölfirnis wird als Haupterzeugnis in
Oftringen und Basel in grössern Betrieben hergestellt, sowie
in den bestehenden Lack- und Firnisfabriken.

Buch- und Steindruckfarben und Firnisse. Diese
Industrie, anfangs der achtziger Jahre in Zofingen eingeführt,
hatte zuerst mit bedeutenden Schwierigkeiten zu kämpfen;
galt es doch in erster Linie, gegen eine seit langer Zeit gut
eingeführte, ausländische Konkurrenz aufzukommen, was bei
der etwas konservativen Haltung verschiedener Konsumenten

keine leichte Aufgabe war. Überdies gab es vielfache Schwierigkeiten in der Fabrikation zu überwinden und sich die nötige Erfahrung zu verschaffen. Die wachsende Konkurrenz in dieser Branche bewirkte auch ein stetiges Fallen der Verkaufspreise, namentlich des Konsumartikels „Zeitungsfarbe". Die Einführung der Rotationsmaschinen verlangte eine denselben entsprechende Farbe, und gelang es erst vor kurzem, eine vollständig und überall befriedigende Farbe in der Schweiz herzustellen, so dass man auch hierin mit Erfolg gegen die ausländische Konkurrenzin Wettbewerb treten konnte. In den letzten Jahren sind vier neue Fabriken dieser Branche in der Schweiz entstanden.

Neben der Herstellung der schwarzen und bunten Farben beschäftigt sich die Fabrik in Zofingen speziell noch mit der Darstellung der sog. Pigmentfarbstoffe und chemischen Farben, wie: Chromgelb, Zinkgelb, Zink- und Chromgrün etc., Lackfarbstoffen aus Anilin- und Alizarinfarben wie: Penseen, Geranium, Zinnobersalz, Grün- und Blaulacken, Azarin- und Alizarinlacken etc., sowie den Tubenfarben für Dekorations- und Kunstmalerei.

Anstreicherfarben. Mit der Herstellung derselben befassen sich mehr denn 20 grössere oder kleinere Unternehmungen, in vielen Fällen im Anschluss an die Lackfabrikation.

Bleiweiss als solches wird in Burgdorf, Schaffhausen, Schönenwerd fabriziert. An letzterem Orte wird auch Mennig hergestellt.

Das Abreiben der trockenen Farben in Öl oder Firnis wird selten mehr vom Maler selbst besorgt, was vom hygienischen Standpunkte aus sehr von Vorteil ist.

Auch in diesen Artikeln macht die fremde Konkurrenz vielfach dem schweizerischen Fabrikanten das Leben sauer. Speziell in der französischen Schweiz ist es Frankreich, das infolge der niederen Einfuhrzölle viel einführt. Zudem gewährt es seinen Exporteuren Einfuhrprämien und äusserst günstige Fracht- und Transportpreise.

Eine Ausfuhr dieser Artikel wird durch die hohen Zölle verunmöglicht. Durch die nun sehr zahlreichen Fabriken der Branche kann der Bedarf des Landes voll und ganz gedeckt werden.

11. Künstliche organische Farbstoffe.

Die Industrie der künstlichen Farbstoffe hat sich in der zweiten Hälfte des 19. Jahrhunderts mit merkwürdiger Schnelligkeit und Erfolg entwickelt. Das Aufblühen dieses wichtigen Zweiges der chemischen Industrie ist mit den Fortschritten der Wissenschaft Hand in Hand gegangen, und die in Bezug auf den höheren Unterricht am besten ausgerüsteten Länder haben von der dadurch veranlassten industriellen Thätigkeit den grössten Vorteil gezogen.

Im Laufe der Fortschritte, welche die Wissenschaft der Chemie im allgemeinen in der ersten Hälfte des Jahrhunderts machte, nahm insbesondere die organische Chemie jenen gewaltigen Aufschwung, der den fruchtbaren Keim zu den grossen Entdeckungen legte, welche namentlich seit 40 Jahren die Industrie der Abkömmlinge des Steinkohlenteers ins Leben gerufen haben. Schritt vor Schritt, dank den geduldigen Forschungen der Fachgelehrten, sah man neue Vorstellungen über die so komplizierte Zusammensetzung des Teers auftauchen. Schon 1834 zeigte *Runge* die Möglichkeit, mittelst aus dem Steinkohlenteer abgeschiedener Produkte zu Farbstoffen zu gelangen, deren Natur *Hofmann* später aufklärte. 1845 machte *Guinon* auf die färbende

Eigenschaft der Pikrinsäure aufmerksam, und 1856 entdeckte *Perkin* das Mauvein, *Natanson* das Fuchsin, dessen erste wirkliche Fabrikationsmethoden man *Verguin* verdankt (1859).

Dies waren in grossen Zügen die Anfänge der Industrie der künstlichen Farbstoffe, die in erster Linie in England und Frankreich entstand, dann sich in der Schweiz und später in Deutschland ausbreitete und von Sieg zu Sieg schritt, indem eine Reihe von neuen Farbstoffen nach der anderen geschaffen wurde, die bei ihrer ausserordentlichen Mannigfaltigkeit allmählich die meisten Pflanzenfarben verdrängten, teils durch Ersatz mittelst gleichwirkender Substitute, teils durch wirkliche Synthese der eigentlichen Farbstoffe jener aus der Pflanzenwelt entnommenen Materialien.

Die folgenden statistischen Angaben über den Gesamtwert der Erzeugung von künstlichen Farbstoffen mögen eine Anschauung über deren Entwicklung und über den Anteil der Schweiz an derselben geben.

Millionen Franken.

Jahr	Gesamt-wert	Deutsch-land	England	Frankreich	Schweiz
1862	12	—	—		—
1867	30	—	—	—	—
1873	40	—	—	—	—
1875	$53^1/_2$	$30^1/_2$	9	7	7
1896	125	90	8—9	8—10	16
1899	150	—	—	—	18

Von den im Jahre 1899 in der Schweiz fabrizierten Farbstoffen (Wert 18 Millionen Fr.) wurde etwa $1/_{15}$ im Inlande verbraucht.

Die Preise der Produkte haben sich in folgender Weise entwickelt, wobei zur Beurteilung der Sachlage auch die

4

Preise einiger Ausgangs- und Hülfsmaterialien angeführt sind.
(Die Zahlen bedeuten den Preis per *kg* in Fr.)

		1850	1874	1885	1900
Salzsäure		*0.28*	*0.15*	*0.07*	*0.06 (0.10)*
Schwefelsäure 66⁰		*0.26*	*0.15*	*0.10*	*0.08 (0.10)*
Salpetersäure 36⁰ . .		*1.—*	—	*0.43*	*0.33*
Ätznatron		*0.65*	—	*0.28*	*0.31*
Solvay-Soda		—	*0.20*	—	*0.24*
Kochsalz		—	*0.12*	—	*0.08*
Borax		—	*2.—*	—	*0.40*
Chlorsaures Natron .		—	*1.75*	—	*0.95*
Brom		—	*4.50*	—	*4.70*
Jod		—	*16.50*	—	*22.70*
Benzol		—	—	*0.50*	*0.23*
Tomol		—	*3.—*	—	*0.80*
Naphtalin . (1868)		*0.45*	—	0.34	*0.23 (0.25–0.30)*
Anilin . . .	{ (1854)	*150.—* }	*3.50*	2.50	*1—1.25*
	{ (1862)	*40.—* }			
Diaethylanilin . . .		—	*7.—*	—	2.40
Resorcin		—	*14.10*	15.—	*7.— (5.60)*
Phtalsäure		—	*13.60*	—	6.70
Rosanilin		—	*34.60*	—	7.10
Fuchsin . .	{ (1859)	*500.—* }	*44.—*	13.—	6.—
	{ (1862)	*500.—* }			
Rosanilinblau (1868)		*250. —* (1876)	*70.—*	17.—	*10.—*
Safranin . . (1865)		*300. —* (1881)	*40.—*	15.—	8.—
Eosin		—	—	20.—	10.—

(*NB.* Die *Kursiv* gedruckten Zahlen sind aus Genfer Quellen, die
übrigen von einer Baseler Firma geliefert worden. *G. L.*)

Die Zahl der in der Teerfarben-Industrie beschäftigten
Arbeiter beträgt in Deutschland 20,000, diejenige der
Chemiker über 500. Der schnelle Aufschwung dieser Industrie wird dadurch am besten erwiesen, dass (nach dem
Kataloge der Sammel-Ausstellung in Paris, 1900), die
Badische Anilin- und Sodafabrik in Ludwigshafen, die
1865 mit 30 Arbeitern ins Leben trat, 1875: 835; 1885:
2377; 1895: 4750 und 1899: 6207 Arbeiter beschäftigte,
ohne Einbeziehung der auswärtigen Filialen.

Der Gesamtwert der erzeugten Produkte hat dabei in sehr viel geringerem Verhältnis als die Mengen der Produkte zugenommen, da, wie die oben gegebene Tabelle zeigt, die Preise unausgesetzt und zum Teil ganz gewaltig gesunken sind. Im Jahre 1890 schätzte man die Preise der Teerfarben alles in allem nur auf $^4/_{10}$ derjenigen des Jahres 1878, und seitdem hat noch ein ganz bedeutendes Fallen stattgefunden. Die Preise früherer Zeiten erscheinen allerdings ausserordentlich hoch und müssen eine ungleich höhere Reineinnahme als heut gelassen haben, obwohl nicht nur (wie zum Teil ebenfalls aus der Tabelle ersichtlich) auch die Preise der Rohmaterialien damals erheblich höher als heut waren, sondern auch die Ausbringen den heutigen bedeutend nachstanden.

Die erste Teerfarbenfabrik wurde im Jahre 1858 von *Perkin* zu Greenford Green bei London angelegt und brachte ihr Produkt 1858 in den Handel. Schon 1859 ging eine Baseler Firma, die sich bis dahin nur mit der Fabrikation von Farbholz-Extrakten befasst hatte, auch zu derjenigen von Teerfarben über, und Basel ist seither auch immer der Hauptsitz dieser blühenden Industrie in der Schweiz geblieben, was dadurch begünstigt wurde, dass diese Stadt bedeutende Konsumenten der Farben im Kanton selbst und noch viel mehr im Elsass in unmittelbarer Nähe hat und für den Bezug von Kohlen und Rohstoffen der Fabrikation günstiger als irgend ein anderer Ort in der Schweiz liegt. 1862 wurde in Schweizerhall (Baselland) eine andere Fabrik gegründet, deren Spezialität Fuchsin war, dann weitere Fabriken in der Nachbarschaft, 1868 eine Fabrik in La Plaine, Kt. Genf, die vor einigen Jahren einer französischen Firma affiliiert wurde.

Die meisten Fabriken wurden in den ersten 20 Jahren angelegt. Ihre Gesamtzahl hat nicht sehr geschwankt; sie hat 9 nicht überschritten und beträgt heute 7, da einige

Neugründungen durch Fusionen älterer Fabriken (die meist
in Aktiengesellschaften übergegangen sind) kompensiert
wurden.

Die ersten Rohstoffe, die aus dem Teer abgeschieden
werden: Benzol, Toluol, Naphtalin, Anthracin, Phenol,
Kresol etc. werden in der Schweiz nicht produziert, und
können es der Natur der Sache nach auch nicht werden.
Auch die Darstellung der zunächst daraus massenhaft hergestellten Mittelprodukte, wie Anilin, Toluidin, Naphtol u.
s. w. müssen dem Auslande ganz oder grösstenteils über-
lassen bleiben. Man kann erst bei den ferneren Zwischen-
produkten einsetzen und diese bis zu den Endprodukten
führen.

Man begann in der Schweiz mit der Darstellung des
Mauveïns oder Perkinschen Violetts, des Fuchsins und
Cyanins. Dann kamen hintereinander das Azulin, das
Rosanilinblau, das Methylviolett, das Aldehydgrün, das *Hof-
mann*sche Violett, das Safranin, das *Martius*gelb, das Jod-
grün, das Magdalarot, das Diphenylaminblau, das Alizarin
(das nur zeitweilig in den 70er und 80er Jahren fabriziert
wurde), die Resorcinfarben, das Galleïn und Coeruleïn, die
Azofarben, das Methylenblau, die aus Benzaldehyd und seinen
Derivaten dargestellten Grün, Gallocyanin und andere Oxazine,
Krystallviolett, Auramin, Primulin und seine Derivate, die
Rhodamine, das Kongorot und viele andere direkte Baum-
wollfarben, Tartrazin, die mittelst Formaldehyd dargestellten
Violett, Blau und Grün, die Blau und Grün aus Benzalde-
hyd-Orthosulfosäure und Orthochlorbenzaldehyd, die Schwefel-
farben und schiesslich der Indigo, dessen erste Synthese
schon 1880 gelungen war, dessen industrielle Fabrikation
aber erst in den letzten Jahren begonnen hat.[1]) Diese

___

[1]) Ausgehend von den Arbeiten von *C. Heumann*, Professor am
Polytechnikum in Zürich.

Synthese mit derjenigen des Alizarins (1868), bilden die wichtigsten Merksteine und grössten Eroberungen in der Geschichte der Teerfarben-Industrie.

Der Wert der schweizerischen Fabrikation von künstlichen Farbstoffen und noch weit mehr die Menge der erzeugten Produkte hat sich von Jahr zu Jahr gesteigert, mit Ausnahme der Periode von 1884—1888, wo sie fast stationär blieben, infolge des Eingehens der Fabrikation von künstlichem Alizarin.

Die Anwendung der Anilinfarben hat sich allmählich über viele Industrien verbreitet, aber naturgemäss geschieht ihr Verbrauch in den grössten Mengen in der Färberei und im Zeugdruck. Für die Schweiz ist die Teerfarbenfabrikation in erster Linie eine Exportindustrie; man schätzt in der That den Inland-Verbrauch nur auf ein Fünfzehntel der Gesamterzeugung. Die Exportzahlen geben daher eine annähernde Idee von der Bedeutung der Schweiz im Felde der künstlichen Farbstoffe. Sie sind seit dem Jahre 1883:

Jahr	Metrische Centner	Wert in Tausenden Fr.
1883	10,130	—
1885	—	9,000
1895	24,762	14,598
1897	29,452	16,511
1899	33,198	16,437

Die Preise haben sich in umgekehrter Richtung bewegt; 1888 wurde der Durchschnittspreis auf 732 Fr. pro 100 *kg* berechnet, 1891 auf 590 Fr., 1898 auf 532 Fr. und 1899 unter 500 Fr. Im Jahre 1899 wurde dem Gewicht nach 5% mehr, dem Wert nach aber 3% weniger als 1898 exportiert.

Die Schweiz führt ihre Farben nach allen Ländern der Welt aus. Anfangs waren Deutschland, England und Frankreich die wichtigsten Abnehmer, aber allmählich gesellten sich zu ihnen die übrigen europäischen Länder, besonders Russland und Italien, und später die überseeischen Länder, die heut einen grossen Teil der Produktion aufnehmen. Seit den letzten Jahren haben die Vereinigten Staaten in Nordamerika die grösste Menge der in der Schweiz fabrizierten Farben eingeführt, während sie früher erst in dritter Linie kamen. Folgendes war die Verteilung der im Jahre 1899 ausgeführten Farben im Werte von Fr. 16,737,000:

Vereinigte Staaten	Fr.	4,068,000
Deutschland	„	2,650,000
England	„	2,342,000
Russland	„	925,000
Britisch-Indien	„	912,000
Italien	„	1,130,000
Frankreich	„	899,000
Österreich-Ungarn	„	964,000
Spanien	„	601,000
Belgien	„	402,000
Japan	„	607,000
Andere Länder	„	937,000

In entsprechendem Masse ist natürlich eine Vermehrung der Chemiker, Bureau-Angestellten und Arbeiter vor sich gegangen. In Basel betrug deren Gesamtzahl v. J. 1870: 104 Personen; 1880: 438 Arbeiter, 14 Betriebsleiter, 94 Bureau-Angestellte; 1883 betrug die Gesamtzahl für die Schweiz 892 Personen; 1896 gab es schon 1300 Arbeiter, 140 Bureau-Angestellte und 80 Chemiker (diese Zahlen dürften auch für 1900 ungefähr zutreffen). Obwohl mithin in der Schweiz sowohl die Menge der Produkte, wie auch die Zahl der in den Farbenfabriken Beschäftigten fortwährend gestiegen ist, so steht es doch ganz anders mit den erzielten Gewinnen. In dieser Beziehung ist es jetzt ganz ungleich schlechter als früher bestellt, der Konkurrenzkampf ist jetzt bis auf das Aeusserste entwickelt, und der Spielraum zwischen

Selbstkosten- und Verkaufspreis ist ungemein gering geworden. Faktoren, welche man früher nicht so genau zu beachten brauchte, wie Arbeitslohn, Transportkosten, Entfernung von den Erzeugungsorten der Rohmaterialien etc., sind heute von grosser Bedeutung geworden. Insbesondere macht der hohe Preis der Kohle in der Schweiz einen grossen Nachteil aus. Die in diesen Beziehungen vorteilhaftere Lage der Nachbarländer, in erster Linie Deutschlands, macht den Kampf für die schweizerische Industrie immer schwieriger; hieraus erklärt sich einerseits, wie aus den hohen Eingangszöllen für Farbstoffe in Frankreich andererseits, der Umstand, dass gewisse der hierher gehörigen Industrien eingehen oder verpflanzt werden mussten, und ähnliches könnte sich in der Zukunft noch weiter ereignen. Die Intensivproduktion, welche viel grösseres Kapital als früher beansprucht, hat die Umwandlung der meisten Firmen in Aktiengesellschaften zur Folge gehabt. Wenn dieser unter den Zeitläuften unvermeidliche Vorgang auch gewisse Vorteile hat, so stehen denn doch auch Nachteile und für die Zukunft sogar Gefahren in Bezug auf die Ertragsfähigkeit der festgelegten Kapitalien und auf die zu machenden Fortschritte entgegen. Die Aufrechterhaltung der schönen Farbstoff-Industrie in der Schweiz erheischt auf alle Fälle von seiten der Fabrikanten und ihrer Mitarbeiter das Einsetzen ihrer ganzen Thatkraft und von seiten des Staates die erforderlichen Opfer, um mehr und mehr für die Vervollkommnung unseres höheren Unterrichts, unserer Transportmittel und unserer Absatzwege durch vorteilhafte Handelsverträge zu sorgen, sowie andererseits die Rohstoffe und diejenigen Zwischenprodukte, die wir aus dem Auslande beziehen müssen, von jeder Abgabe zu befreien.

Wir müssen schliesslich bemerken, dass verschiedene schweizerische Fabriken mit der Fabrikation von Farbstoffen diejenige der neuen **synthetischen Arzneimittel** und **Riechstoffe** verbunden haben (vgl. oben S. 33). Die wissenschaftlichen Forschungen, welche zu diesen Präparaten führen,

sind ganz analoger Art mit denjenigen, welche die Teerfarben betreffen, und die gleichzeitige Ausbeutung dieser
verschiedenen Felder, wie sie auch in Deutschland stattfindet,
stellte sich naturgemäss ein.

12. Pflanzenfarbstoffe.

Die Industrie der Pflanzenfarbstoffe beginnt in der
Schweiz im Jahre 1856, um welche Zeit die Farbholzextrakte
mehr und mehr in die Färberei einzudringen anfingen. Mit
dieser Fabrikation hat sich in der Schweiz eine einzige Firma
in Basel dauernd beschäftigt und hat darin ein wohlverdientes
Ansehen erlangt. Eine andere Firma hat vorübergehend
ebenfalls Farbholzextrakte dargestellt. Anfangs hielt sich
diese Fabrikation in der Schweiz in bescheidenen Grenzen,
entwickelte sich aber derartig, dass die zuerst erwähnte Firma
im Jahre 1882 2,375,000 *kg* Farbhölzer verarbeitete und
58 Personen beschäftigte. Zunächst fand sie ihr Verkaufs-
feld in der Schweiz und den angrenzenden Ländern, später
auch in Russland, England, Spanien und den Vereinigten
Staaten. Leider konnte sich diese Industrie nicht weiter
ausbreiten und den Kampf nicht länger aushalten, teils infolge der durch die Entfernung vom Meere und den hohen
Kohlenpreis gegenüber der Konkurrenz zu hohen Selbst-
kosten, teils infolge davon, dass die Teerfarben allmählich
immer mehr an Stelle der Pflanzenfarben traten.

Die für Färbereien gelieferten Produkte waren Extrakte
von Krapp, Blauholz, Rotholz, Gelbholz, Quercitron, Kreuzbeeren, Orseille, Curcuma, Indigokarmin und verschiedene
Gerbstoffe, Galläpfel und Sumachextrakte. Die meisten
dieser natürlichen Farbstoffe sind nach und nach durch billi-

gere oder leichter anwendbare künstliche Substitute, oder
durch synthetische Produkte, wie Alizarin und Indigo, verdrängt worden. Dies musste notwendigerweise zu einer Ein-
schränkung der Erzeugung von Pflanzenfarben führen, obwohl
die Fabrikanten der letzteren sich kräftig gewehrt und fortwährend Verbesserungen eingeführt haben. Heute sind davon
nur einige wenige Farbstoff- und Gerbholzextrakte übrig-
geblieben, wovon 1899 das Sumachextrakt in erster Linie
stand, ausserdem Extrakte von Blauholz, Gelbholz, Rotholz,
Quercitron, Kreuzbeeren und Katechu.

Die Einfuhr von Farbhölzern in Klötzen, welche 1885
gleich 25,559 Metercentnern war, ist 1890 auf 21,020, 1895
auf 15,563 und 1899 auf 8,708 Metercentner gefallen. Die
Ausfuhr der in der Schweiz fabrizierten Extrakte ist in den
letzten 10 Jahren stark gesunken und betrug:

1890   1,647,000 Fr.
1895   516,000 „
1899   424,000 „

Die Einfuhr solcher Extrakte vom Auslande betrug 1891:
483,000 Fr. 1899: 230,000 Fr.

Die schweizerische Farbholz- und Gerbstoffextraktion
beschäftigt heute etwa 100 Arbeiter und ihr Gesamtwert
übersteigt nicht eine Million Franken.

13. Bleicherei.

Diese Industrie teilt sich naturgemäss in die Bleicherei
der Baumwollen- und diejenige der Leinen-Artikel. Die
erstere steht in enger Verbindung mit der Stickerei-Industrie
von St. Gallen und Appenzell, sowie der Färberei und Zeugdruckerei von Glarus und Zürich und hat sich daher in diesen

Kantonen hauptsächlich entwickelt, während die Leinenbleicherei, die natürlich mit der Leinenweberei eng zusammenhängt, auf einige Gegenden des Kantons Bern (Emmenthal und Oberaargau) beschränkt ist.

Die seit undenklichen Zeiten ausgeübte Rasenbleiche ist kaum als chemische Industrie anzusprechen; dies kann erst von der „Schnellbleiche" gelten, welche zuerst im Jahre 1801 von *Degen* aus Kriens in St. Gallen eingerichtet wurde, anfangs mit mittelmässigem Erfolge, aber doch bald grössere Ausbreitung erlangend. Bei dieser „chymischen Bleiche" ist, obwohl in der in unserer Quelle (Wartmanns „Industrie und Handel des Kantons St. Gallen") gegebenen Beschreibung von Chlor nicht die Rede ist, doch jedenfalls eine oder die andere Form der Chlorbleiche in Anwendung gekommen. Längere Zeit hindurch war übrigens die Bleicherei in jenem Bezirke keineswegs auf der Höhe, welche sie anderwärts erreicht hatte. Bedeutende Verbesserungen wurden 1864 durch einen aus Schottland berufenen Fachmann eingeführt, weitere in den Siebziger- und Achtzigerjahren und heute kann man die Bleicherei sowohl der Weisswaren, wie diejenige der zu färbenden und bedruckenden Waren als vollständig auf der Höhe der Zeit bestehend betrachten.

Die folgenden Angaben sind (auszugsweise) aus *Furrers* Volkswirtschaftslexikon (I, 286) der Schweiz entnommen.

Die Leinwandbleicherei beschäftigte im Emmenthal und Oberaargau im Jahre 1882 73 Arbeiter. Die Gesamtzahl der mit Bleicherei ausschliesslich beschäftigten Arbeiter dürfte 500 nicht überschreiten. Bleicherei und Appretur zusammen beschäftigten nach der eidgenössischen Volkszählungsstatistik 1880: 2094 Personen, nach *Schlatters* Industriekarte 1883: 2924 Personen, wovon fast $2/3$ in den Kantonen St. Gallen und Appenzell-Ausserrhoden und etwa $1/4$ im Kanton Zürich (die Differenz von 830 beruht jedenfalls grösstenteils auf abweichenden Aussagen seitens der Befragten).

Ende 1884 waren in den Handelsregistern 46 Bleicherei-
geschäfte eingetragen, eingeschlossen 8 Wachsbleichereien.
Dem eidg. Fabrikgesetze waren Ende 1884 25 Etablissemente
mit 547 Arbeitern und 531 Pferdestärken unterstellt, in
denen die Bleicherei ausschliesslich oder als Hauptgewerbe
unterstellt war, wovon 12 daneben noch Appretur, teilweise
auch Färberei betrieben. Als Nebengewerbe wurde ausserdem noch in 7 dem Gesetze unterstellten Etablissementen
die Bleicherei betrieben.

Über den Umfang der Bleicherei-Industrie im Jahre 1895
vergl. die am Schlusse dieser Schrift gegebene Zusammenstellung.

14. Färberei.

Über die Geschichte der Färberei im engeren Sinne in
der Schweiz waren leider trotz Anfragen an den betreffenden
Stellen keinerlei brauchbare Angaben zu erhalten, während
für diejenige des Zeugdrucks (s. folg. Abschnitt) um so voll-
ständigere Nachrichten aus der Feder eines der kompetente-
sten Fachmänner vorliegen.

Einfach gar nichts war über die Geschichte und Entwicklung der *Baumwollfärberei* zu ermitteln, wenn man sich
nicht auf dieses oder jenes einzelne Etablissement beschrän-
ken wollte. In Bezug auf den gegenwärtigen · Stand dieser,
bekanntlich in der Schweiz auf voller Höhe stehenden Industrie, die auch originelle Leistungen aufzuweisen hat, war
ebensowenig ein Bericht zu erlangen, und kann nur auf die
statistischen Angaben des Anhanges verwiesen werden.

Nicht viel besser steht es mit dem, was wir über die
in der Schweiz so hoch entwickelte *Seidenfärberei* berichten

können. Wir wurden auf die Geschichte der zürcherischen Seidenindustrie von *A. Bürkli-Meyer* verwiesen, aber für die Färberei der Seide giebt auch diese wertvolle Quelle äusserst wenig Ausbeute. Wir ersehen, dass in der älteren Periode der zürcherischen Seidenindustrie, welche in das 14. Jahrhundert fällt und am Ende desselben vollständig verschwindet, von Färbung im Garn nicht die Rede sein kann, während *möglicherweise* gewisse Artikel nach dem Bleichen im Stoff gefärbt wurden. Die Neubegründung dieser Industrie durch die Einwanderung der aus Locarno vertriebenen Protestanten im Jahre 1555 bringt dann gleich auch die Färberei im Garn, worüber aber keinerlei technische Angaben gegeben werden, als dass Waid- und Gelbkraut verwendet wurden. 1587 bitten die Gebrüder Werdmüller um Erlaubnis, zwei fremde Färber anstellen zu dürfen, was der Rat auch bewilligt, unter der Bedingung, dass die Fremden wieder zu entlassen seien, nachdem die Einheimischen ihnen ihre Kunst abgelernt haben. Um 1640 ersetzt Hartmann Rahn die frühere Malerei auf Seide durch den Druck, der sich bis in das 19. Jahrhundert ziemlich in derselben Weise erhielt, und 1814 schenkt Johannes Reyhner dem Kaiser Alexander I. von Russland zwölf seidene Taschentücher, die er in Farben und Dessins komponiert, gefärbt, bedruckt und eigenhändig verfertigt hat. Von diesen Tüchern sind zwei erhalten, mit scharlachrotem Fond und vorherrschendem gelb und grünem Druck. Wir hören später von den geflammten Tüchern, die durch lokale Färbung des Zettels hergestellt wurden. Aus dem Jahre 1832 wird erwähnt, dass eine einzige Firma 51,324 Kilogramm gute Seide gefärbt und dafür 60,000 Gulden Färberlohn bezahlt habe.

Um 1855 bestanden im Kanton Zürich 10 Färbereien, 1881 ebensoviele, mit 987 Arbeitern und 36 Angestellten, die 281,608 *kg* Seide in Couleurs und 288,314 *kg* schwarz färbten; verausgabte Salaire und Arbeitslöhne über eine Million Franken. 1897 beschäftigten 10 Färbereien 1678

Arbeiter und 67 Angestellte; gefärbt wurden 866,632 *kg* Seide und 26,506 *kg* Schappe farbig und 353,524 *kg* Seide und 5,789 *kg* Schappe schwarz.

Ausserdem fallen auf Baselstadt fünf Seidenfärbereien. *Wollfärbereien* bestehen in der Schweiz nur wenige, in Zürich drei.

---

15. Zeugdruckerei.

Lange über das Mittelalter hinaus spielte der Zeugdruck in Europa neben der farbigen Wollen- und Seidenweberei nur eine untergeordnete Rolle; die einzige damals bekannte Manier bestand darin, mit Leinöl angerührte Körperfarben auf weisse oder vorgefärbte Leinwand, seltener auf Seidenstoffe, mittelst gestochenen Holzformen aufzutragen. Vereinzelte kirchliche Fundstücke lassen darauf schliessen, dass sich auch an einigen wenigen Orten der Schweiz Klosterinsassen oder Handwerker mit der Anfertigung von solchen mehr für Tapeten als für Kleidungsstücke geeigneten Druckwaren befassten. Gegen das Ende des XVII. Jahrhunderts, vielleicht auch etwas später, wurden die Tafel- oder Applikationsfarben, die einfachste Art einer chemischen Fixation der Farbstoffe auf den Textilfasern darstellend, erfunden; dieselben erlangten frühzeitig in Z ü r i c h und zwar zur Herstellung gedruckter ganzseidener oder halbbaumwollener Zeuge einige Wichtigkeit, obwohl sie, wenige Ausnahmen abgerechnet, gegen Sonnenlicht und Seife nicht viel Widerstandsfähigkeit aufwiesen. Inzwischen hatte die von den Portugiesen im XVI. Jahrhundert begonnene Einfuhr weisser und farbig gemusterter Baumwollstoffe („Indiennes") aus Ostindien unter der Hand der Holländer einen bedeutenden Umfang angenommen, da sowohl die Gewebe als solche, als

auch die feurigen und sehr echten Farben grossen Anklang
fanden. 1678 ging man in Amsterdam dazu über, die
indischen Fixationsmethoden zur Herstellung von Indigo- und
Krappfarbenartikeln mit dem europäischen Holzmodell- und
Kupferplattendruck zu verbinden, aus welcher Verschmelzung
der moderne europäische Zeugdruck entstand. Derselbe
breitete sich in einzelnen Ausläufen rasch auch nach England,
Frankreich und Deutschland (Augsburg) aus; eine besonders
starke Ausdehnung erlangte er jedoch in der Schweiz, teils
weil ihm hier eine stetig sich vergrössernde Baumwollweberei
zur Seite stand, die ihn vom indischen Rohtüchermarkt allmählich emanzipierte, teils weil in der Folge staatliche Be-
schränkungen bezw. Verbote seine Entwicklung in England
und Frankreich jahrzehntelang hemmten.

Die erste schweizerische Druckfabrik in echten Farben
(speziell Indigo), welche bald zu bedeutendem Rufe gelangte,
entstand 1698 in Genf durch die Hugenotten *Vasserot* und
Fazy, aus dem Briançonnais (franz. Alpen) stammend. Ihnen
folgten schon 1701 *Römer* und *Kitt* in Zürich, bei welcher
Gründung sowohl Beziehungen zu Holland als auch zu
Hugenotten nachweisbar sind; zünftige Hindernisse verzögerten
eine kräftige Entfaltung dieser und anderer zürchrischer
Fabriken bis in die zweite Hälfte des XVIII. Jahrhunderts.
Um 1716 entstanden Druckereien in Basel, im Kanton Neuen-
burg und im Aargau; in Basel durch die Handelsfirma
Wittwe Emmanuel Ryhiner & Cie. direkt von Holland her,
im Neuenburgischen durch die einheimische Familie der
Labran und dem aus der Saintonge (Westfrankreich) stammenden
Hugenotten *Jacques Deluze,* im Aargau durch die Initiative
der *Gebrüder Brutel* aus Montpellier. 1740 erfolgte die Ver-
pflanzung nach Glarus, indem der dortige Kaufmann und
Landmajor *Joh. Heinrich Streiff* einen Kolonisten Fazy aus
Genf zur Einführung des Indigoblau-Druckartikels in seine
Dienste nahm. Um 1765 legte *Bernhard Greuter* den Grund-
stein zur ersten thurgauischen Druckfabrik, welche

100 Jahre später als das bedeutendste Etablissement dieser Art in der Schweiz erscheint. Vereinzelte kleinere Betriebe entstanden um die Mitte des XVIII. Jahrhunderts auch im Gebiet des heutigen Kantons Bern, in St. Gallen, Appenzell a. Rh., Solothurn, Schaffhausen, Graubünden und in der Waadt. Inzwischen hatten sich die Produkte mannigfaltiger gestaltet, indem man die zuvor in Krappfarben oder in Indigoblau gemusterten Tücher noch mit Tafelfarben ausschilderte. In solchen „illuminierten" Krappartikeln erlangten die neuenburgischen Baumwolldruckereien (neben Augsburg) einen europäischen Ruf, während mit Tafelfarben ausgeschmückte Indigogenres speziell für Glarus erwiesen sind. Für das letzte Viertel des XVIII. Jahrhunderts muss die Zahl der in der Schweiz arbeitenden Drucktische (ungerechnet der seit 1746 in Mülhausen im Elsass entstandenen Geschäfte) auf mindestens 3000 veranschlagt werden, wobei der Kanton Neuenburg eine besonders hervorragende Stellung einnahm; es entspricht dies einer Zahl von ungefähr 9000 in den Druckfabriken beschäftigten Personen und einer jährlichen Produktion von ca. 1 Million Baumwollstücken à 15 aunes Länge, wenig- und vielfarbige Genres in einander gerechnet, im Wert von ca. 12 Millionen Gulden.

In den Wirren der Jahre 1798—1803 gingen eine Menge kleinerer Betriebe ein; inzwischen hatten die Engländer durch die bei ihnen erfundene Walzendruckerei in der Herstellung langer Waaren (Indiennes-Möbelstoffe) ein dauerndes Übergewicht erlangt, was namentlich die westschweizerische Druckerei ungünstig beeinflusste, während die Ostschweiz, die ebensoviel oder noch mehr abgepasste Genres (Mouchoirs und Châles) produzierte, hievon vorläufig weniger betroffen wurde. Die genferische Zeugdruckerei erholte sich nie mehr und verschwand schon 1830 gänzlich; die neuenburgische wagte in Rouleaux-Druck einen kräftigen Vorstoss, musste jedoch der englischen allmählich das Feld räumen, so dass nur ein einziges Etablissement das Erlöschen der „Neuenburger Privilegien" (Zollbegünstigungen bei der Ausfuhr nach Preussen, welche zwischen 1848 und 1856 ihr natürliches Ende fanden) überdauerte; die aargauische Druckerei, welche hauptsächlich nach Süddeutschland arbeitete, erhielt den Todesstoss durch die Bildung des „Deutschen Zollvereins". Widerstandsfähiger erwies sich die Rouleaux-Indiennes-Druckerei in den Kantonen Thurgau und Zürich, indem sie in ersterem bis 1881 standhielt und in letzterem in der grossen Druckfabrik in Richterswil noch heute einen Repräsentanten zählt, Inzwischen hatte der Handdruck durch die 1811 dem Mülhauser Daniel Köchlin gelungene epochemachende Erfindung des Weiss- und Buntätzens türkischroter Tücher einen neuen kräftigen Impuls erhalten. Da die Türkischrotfärberei schon 1784 in Zürich Eingang gefunden hatte, bemächtigte man sich hier rasch auch jener Ätzmethode, deren Produkte nun durch viele Jahrzehnte hindurch einen in aller Welt sehr gangbaren Handelsartikel bildeten; in der Folge fand sie in der ganzen Ostschweiz Eingang, bis zu Anfang der 1870er Jahre bei der Einführung des künstlichen Alizarins in die Färberei und Druckerei ein heftiger Rückschlag eintrat, welchem fast alle zürcherischen (übrigens der Mehrzahl nach kleinere und verschiedene andere) Fabriken zum Opfer fielen.

Weitaus die wichtigste Stelle in der Geschichte der schweizerischen Druckerei des XIX. Jahrhunderts nimmt der Kanton Glarus ein. Zu Anfang desselben war es namentlich den durch glarnerische Kaufleute angebahnten günstigen Verbindungen mit Italien zu verdanken, dass die sog. Mouchoirs-Druckerei (glatte Mouchoirs und croisé Châles in vorwiegend europäischem Geschmacke in Indigo-, Krapp- und Tafelfarben erzeugend) sich kräftig entwickelte, indem sie sich auf die in den provinzialen Trachten beliebten Tücher, welche die englische Massenproduktion bei Seite liess, warf. Später trat sie abwechselnd, je nach den zollpolitischen Konjunkturen, fast mit allen europäischen und überseeischen Ländern in Handelsverkehr. Zu einem fernern

wichtigen Zweig gestaltete sich die schon erwähnte T ü r k i s c h -
r o t f ä r b e r e i und Ä t z d r u c k e r e i. Ein neues lohnendes
Feld öffnete sich sodann der glarnerischen Druckerei, als
eine stadtglarnerische Handelsfirma 1834 die Nachahmung
o r i e n t a l i s c h e r Schleier, Kopftücher und Châles — Y a s -
m a s — anregte. Dieser Zweig, der sich vorwiegend der
Tafel- und der um diese Zeit auch in Glarus eingeführten
D a m p f farben bediente, entwickelte sich ungemein rasch
und gab einem Teil der glarnerischen Druckindustrie ein
durchaus originelles Gepräge. 1842 erfolgte durch eine
Firma in Schwanden die Einführung des sog. B a t t i c k -
a r t i k e l s, in der Herstellung solidfarbiger Lendenschurze
und eigenartiger Kopf- und Schulterntücher für die eingeborne
Bevölkerung Holländisch-Indiens bestehend, welcher Hand-
druckgenre wie die Yasmas der grossen Dimensionen und
besondern Farbenzusammenstellungen wegen längere Zeit
von der Konkurrenz des Rouleauxdrucks unberührt blieb.

Schon um 1845 produzierte die glarnerische Druckerei
mit ihren 1480 Drucktischen und 3200 Arbeitern 380,000
Stück Baumwolltücher à 20 aunes (à 120 cm) im Wert
von ca. 3 Millionen Gulden, d. h. wahrscheinlich ebensoviel
als diejenige der ganzen übrigen Schweiz. Noch viel be-
deutendere Zahlen weist die glarnerische amtliche Statistik
von 1864/5 auf, nämlich 4204 Drucktische, 47 Druck-
maschinen (Plancheplatten, Perrotinen und einige wenige Rou-
leaux) mit 10,000 Arbeitern und einer jährlichen Produktion
von 800,000 Stück à 50 aunes in der Breite von 50 bis
140 cm und im Wert von ca. 25 Millionen Franken; der
Wert der Produktion der übrigen Schweiz mochte damals
noch 7—9 Millionen Franken betragen. Von den erwähnten
4204 Drucktischen fanden damals Beschäftigung 46 % in
den Mouchoirsfabriken, 38 % in den Yasmas- oder Türken-
kappendruckereien, 8 % in den Türkischrotgenres und 8 %
in dem Battickartikel. Auch von 1876—1891 betrug die
glarnerische Produktion durchschnittlich per Jahr immer noch

5

ca. 500,000 Stück à 80 *m* im Werte von ca. 15 Millionen Franken; die inzwischen immer zahlreicher und mannigfaltiger auftretenden *künstlichen* Farbstoffe gaben Veranlassung zu mancherlei neuen Kombinationen und Genres als Ersatz der veralteten und aus der Mode gekommenen. Die amtliche Statistik vom Jahr 1888 weist für die Schweiz 27 Druckereien auf (wovon 21 im Kanton Glarus) mit durchschnittlich 3878 Arbeitern. Die Ausfuhr von bedruckten Baumwollgeweben aus der Schweiz bewegte sich im Jahr 1889 in folgenden Zahlen:

Nach:	Menge q.	Wert Fr.
Italien	4,182	2,764,338
Donauländer	3,361	2,451,962
Europäische Türkei	2,304	1,769,000
Frankreich	2,228	1,529,160
Österreich-Ungarn	1,291	918,038
Spanien	670	526,484
Deutschland	565	416,714
Griechenland	272	219,136
Andere europäische Länder	594	423,174
Europa im ganzen	15,467	11,018,044
Britisch Indien	2,595	1,838,906
Holländisch Indien	2,048	1,581,960
Asiatische Türkei	1,150	1,006,445
Ostasien	120	279,615
Asien im ganzen	6,213	4,706,926
Afrika	566	441,177
Amerika	583	479,767
Australien	4	4,040
Insgesamt	22,833	16,649,954

Dazu ist zu bemerken, dass die glarnerische Produktion von welcher nur ein verschwindend kleiner Teil im Lande selbst konsumiert wird, ungefähr vier Fünftel des Gesamten ausmachte.

Bei den Zolltarifänderungen von 1892 war es teils nicht möglich, die Interessen der Druckerei zu wahren, teils wurden sie zu Gunsten mächtigerer Industrien geopfert; dies führte in der hauptsächlich in Ennenda vertretenen Mouchoirsdruckerei, die gerade in den unmittelbar vorhergehenden Dezennien bedeutende koloristische Fortschritte und Erfolge in Rouleaux- und Handdruck aufzuweisen gehabt hatte, einen Zersetzungsprozess herbei, dessen Ende auch heute noch nicht abzusehen ist, obwohl seither 4 grössere Fabriken den Betrieb aufgegeben haben. Der plötzliche Verlust des spanischen Absatzgebietes und die Zollerhöhung Frankreichs, verbunden mit dem Anwachsen der italienischen Konkurrenz und der Übermacht Englands auf den überseeischen Plätzen bewirkten innerhalb kurzer Zeit ein Sinken der Produktion um 30—50 %.

Grossen Klagen begegnen wir auch in der Yasmasdruckerei, welche gegenüber der stets mächtiger werdenden Industrie in der Türkei selbst fortgesetzt Terrain verliert, sodass das einst grösste Etablissement den Betrieb bereits aufgegeben hat; eine Ausnahme macht die Fabrik in Mitlödi, welche für den Verschleiss in Asien die Erstellung wollener und seidener Druckwaren aufgenommen und es trotz der grossen Konkurrenz der alten böhmischen Wolldruckereien schon zu einer bemerkenswerten Höhe der Produktion gebracht hat. Die Türkischrotfärberei und -Druckerei blieb während der letzten Jahre ziemlich stabil, und die Battickdruckerei konnte sich ihren sehr leistungsfähigen holländischen Rivalen gegenüber ziemlich gut behaupten. Entsprechend dem bei den zwei ehemals wichtigsten Zweigen eingetretenen Notstand zeigt die Statistik pro 1899 (Bericht über Handel und Industrie der Schweiz im Jahre 1899, erstattet vom Vorort des Schweiz. Handels- und Industrievereins, Zürich 1900) folgendes erschreckende Bild:

Ausfuhr an bedruckten Baumwollgeweben:

Britisch-Indien	2,919	Meterctr.	1,674,000	Fr.
Donauländer	1,695	„	1,083,000	„
Asiat. Türkei	1,707	„	1,060,000	„
Niederl. Indien	1,399	„	951,000	„
Europ. Türkei	1,130	„	657,000	„
Italien	836	„	531,000	„
Österreich-Ungarn	766	„	514,000	„
Japan	649	„	378,000	„
Übrige Länder	2,653	„	1,517,000	„

Im Total also bloss noch 13,754 Meterctr. 8,365,000 Fr.

Daneben finden wir eine Einfuhr aus

Deutschland	2,065	Meterctr.	1,140,000	Fr.
England	1,387	„	769,000	„
Übrige Länder	554	„	304,000	„

Die Einfuhr erstreckt sich hauptsächlich auf schnell wechselnde Rouleaux-Indiennesgenres, in welchen die ohne ausreichenden Zollschutz arbeitenden schweizerischen Fabriken den grossen ausländischen Anstalten nicht die Spitze zu bieten vermögen.

In den Jahren 1899/1900 waren in der Schweiz nur noch folgende Zeugdruckereien im Betrieb:

Kanton Glarus: 16 Firmen mit 2188 Arbeitern.

„ Zürich: 1 Kattundruckerei, die zeitweise auch auf Wolle arbeitet, in Richterswil.

„ „ 1 Seidenstoffdruckerei in Zürich III.

„ St. Gallen: 1 Textildruckerei (Baumwolle, Seide und Leinen) in Goldach-Blumenegg.

„ Thurgau: 1 Druckerei, verbunden mit Türkischrot-färberei in Aadorf.

„ Aargau: 1 kleine Garndruckerei in Strengelbach.

„ Baselstadt: 2 kleine Seidendruckereien.

Statistisches.

Folgende Angaben sind der vom eidgen. Fabrikinspektorat am 5. Juni 1895 aufgenommenen Schweizerischen Fabrikstatistik (Bern 1896) auszüglich entnommen.

Industrien	Zahl der dem Fabrikgesetze unterstellten Etablissements	Zahl der darin beschäftigten Arbeiter	Hülfskräfte in Pferdestärken		
			Wasser	Dampf	Gas, Petroleum, Elektrizität
1. Chemische Fabrikindustrien.					
Gewerbliche Chemikalien .	19	475	2,795	211	6
Kunstseide	2	74	95	—	—
Farben, Firnisse, Farbhölzer	15	1,222	74	2,080	21
Tinten, Wichse u. s. w. . .	2	39	4	5	4
Pharmazeutische Präparate	6	56	2	65	2
Explosivstoffe	7	221	315	24	25
Zündhölzchen	37	388	158	62	6
Kerzen, Seifen, Parfümerie	24	349	39	253	3
Leim und Gelatine . . .	7	190	19	163	10
Chemische Dünger . . .	7	128	—	139	68
Leuchtgas und Verwandtes	21	549	11	48	60
Flüssige Kohlensäure . .	2	10	50	—	10
Eisgewinnung u. Fabrikation	2	10	40	30	27
Anstalten für Verwertung der Elektrizität . .	10	202	5,650	1,592	138
Vergoldung, Versilberung, Vernickelung . . .	10	175	36	6	7
	171	4,088	9,288	4,678	387
2. Textilindustrien.					
Baumwoll-Färberei . . .	46	1,537	262	738	7
„ -Druckerei . . .	25	2,937	824	309	—
„ -Bleicherei, Sengerei, Appretur . . .	74	2,517	655	1,553	22
Seiden-Färberei	21	2,656	59	1,689	30
„ -Appretur	11	476	20	148	—
Wollen-Färberei u. Appretur	6	103	30	186	6
Kleider-Wascherei und Färberei	18	591	7	253	2
	201	10,817	1,857	4,876	67

Schweizerische Zollstatistik.

Ein- und Ausfuhr der wichtigsten Rohprodukte und Fabrikate
der chemischen Industrie im Jahre 1900.

Bezeichnung der Ware	Einfuhr		Ausfuhr	
	q. netto	Wert Fr.	q. netto	Wert Fr.
Handelsdünger, roh, Abfall-schwefelsäure . . .	406,165	2,963,591	699	6,107
Handelsdünger, aufgeschlos-sen	224,803	2,255,239	17,426	150,878
Weinstein, roh	130	11,700	1,270	156,357
Ätzkali und Ätznatron . .	27,973	839,190	1,025	80,724
Calciumkarbid	1,005	25,125	44,157	1,548,982
Chlorkalk	13,475	192,240	12,753	164,158
Schwefelsäure und Vitriolöl .	65,249	473,055	1,882	24,232
Soda, krystallisiert	9,434	61,321	1,219	9,626
Soda, kalziniert	99,857	1,148,355	183	1,913
Anilin etc.	7,266	799,260	350	36,635
Anthracen, Benzoësäure, Benzol, Naphtalin etc.	49,567	2,357,287	873	139,238
Arsensäure, Borax, Natron-salze etc.	24,488	1,420,304	1,229	63,776
Holzessig, Essigsäure, rohe .	9,230	295,360	12	846
Ölsäure	7,983	455,031	396	25,689
Stearin	8,475	932,250	5	852
Terpentinöl	10,496	942,200	—	—
Kartoffelmehl	18,403	478,756	27	1,327
Leim, roh	6,962	661,390	1,983	190,056
Leim, gereinigt	697	163,795	1,505	623,255
Farbstoffextrakte	2,597	259,700	4,988	360,497
Teerfarben	3,401	1,530,450	31,158	15,342,869
Aluminium	61	16,348	5,712	1,525,549
Steinkohlen	15,441,826	50,451,852	—	—
Braunkohlen	33,825	101,701	—	—
Coaks	1,513,371	6,889,046	23,295	81,913
Briquettes	3,581,758	12,237,009	3,339	15,712
Olivenöl	9,251	1,058,120	—	—
Andere Speiseöle	21,298	1,703,840	125	13,326
Leinöl, roh	22,114	1,547,980	172	10,554
Andere gewerbliche Öle . . .	58,541	4,097,870	288	24,867
Talg	12,930	840,450	2,238	136,330
Gewöhnliche Seifen . . .	15,787	790,172	1,098	76,504
Parfümierte Seifen	896	268,800	247	49,695

Inhalt.

	Seite
Vorwort	3
1. Chemische Grossindustrie	7
2. Düngerfabrikation	16
3. Holzdestillation	18
4. Sprengstoff- und Zündholz-Industrie	20
5. Elektrochemische Industrien	21
6. Pharmazeutische und photographische Präparate	32
7. Seifen-Fabrikation und verwandte Industrien	35
8. Stärke und Dextrin	40
9. Leim	42
10. Lacke und Firnisse, Buch- und Steindruckfarben, Pigmentfarbstoffe etc.	43
11. Künstliche organische Farbstoffe	48
12. Pflanzenfarbstoffe	56
13. Bleicherei	57
14. Färberei	59
15. Zeugdruckerei	61

Druck:
Customized Business Services GmbH
im Auftrag der KNV-Gruppe
Ferdinand-Jühlke-Str. 7
99095 Erfurt